AF174455

DESDRAMATIZAR EN LA VIDA Y EN EL TRABAJO

DESDRAMATIZAR EN LA VIDA Y EN EL TRABAJO

Ángel Largo García

1ª Edición noviembre 2021: *Desdramatizar en la vida y en el trabajo.*
Diseño de portada: Carlos Silva
Colección Exit editorial

© de los textos: Sus autores
© de la presente edición:
    Ediciones Doce Calles S.L.
    Apdo. 270 Aranjuez. 28300 (Madrid)
    Tel.: (+34) 91 892 22 34
    docecalles@docecalles.com

ISBN: 978-84-9744-386-9
Depósito legal: M-32807-2021
Impreso en España

Queda prohibida, salvo excepciones previstas en la ley, cualquier forma de reproducción, distribución, comunicación pública y transformación de esta obra sin contar con la autorización de los titulares de propiedad intelectual. La infracción de los derechos mencionados pueden ser constitutivas de delito contra la propiedad intelectual (arts. 270 y siguientes del Código Penal). El Centro Español de Derechos Reprográficos (www.cedro.org) vela por el respeto de los citados derechos. Diríjase a este organismo si necesita fotocopiar algún fragmento de esta obra.

Dedicado a mi abuelo «Colás». que con sus bromas y su forma de tomarse la vida me hizo descubrir los beneficios de «no tomarse en serio las cosas».

A mis padres, por la gran labor realizada conmigo en la educación, apoyo y valores. Gracias Papá y Mamá.

A mi mujer Raquel, porque sin su apoyo incondicional no hubiera podido alcanzar mis sueños.

Índice

Índice

Prólogo

Ángel Largo tiene una misión en el mundo: que todos se conviertan a su religión, el buenhumorismo. Sus mandamientos son pocos, pero certeros. Son dos.

1. Vivirás con buen humor, pase lo que pase.

2. No hay más mandamientos.

«Vivir con buen humor». En casa, en el trabajo, en tu día a día, segundo a segundo. Pero, cuando hablamos de vivir con buen humor, ¿a qué nos referimos exactamente?

Vivir la vida con buen humor no equivale a gastar bromas continuamente. Ni a sacarle punta a cada comentario, ni a convertirte en el «graciosillo» de la oficina. Eso no es «buenhumorismo». Eso es «cansinismo».

Vivir de una forma «buenhumorada» equivale a vivir con una actitud positiva. A saber que (casi) nada es tan importante como para que nos desesperemos. A entender que podemos enfrentar cualquier situación, ya sea en el ámbito personal o profesional, desde la tranquilidad de saber que podremos solucionarlo. Y que, si no podemos solucionarlo, no merece la pena nuestra atención.

Por supuesto, vivir con buen humor también es utilizar un lenguaje donde el humor, el comentario simpático, esté permitido. Porque si nos podemos permitir soltar un chiste en una reunión de trabajo, es que estamos en confianza. Y cuando trabajamos desde la confianza surge la escucha, el compañerismo, la creatividad y, con ella, las soluciones. Claro que podemos vivir desde otra posición: desde la actitud rígida, la protocolaria, la de «la cultura del ordeno y mando». Claro que podemos implementar en nuestro trabajo, con nuestros equipos, una forma de trabajo más propia del siglo pasado. Pero pudiendo elegir..., ¿merece la pena?

Vivimos en un entorno cambiante: el famoso entorno VUCA, acrónimo correspondiente a las palabras *Volatility (V), Uncertatinty (U), Complexity (C)* y *Ambiguity (A)*. Vamos, un lío. Esto no es novedad, nos aburrimos de escucharlo en charlas TED, de verlo en posts de Linkedin, incluso de leerlo en prólogos de libros de Ángel Largo. La pregunta es: ¿cómo enfrentarnos a un mundo en constante cambio sin que nos intoxique el exceso de información, sin estar perdidos, sin tensión? Hoy en día, creo que la herramienta más potente a nuestra disposición (y que, por cierto, todos traemos de serie) es **la creatividad**.

Una cultura empresarial que favorezca la creatividad —de todos y cada uno de los miembros de la compañía— es infinitamente más potente que una estructura de trabajo vertical. En un entorno cambiante como en el que realmente estamos, lo importante para enfrentar los retos no es encontrar «soluciones correctas» (si es que las hubiera), sino soluciones alternativas. Y para encontrarlas hace falta la creatividad de todos los miembros del equipo. Ahora bien, la creatividad es solo el primer elemento de la fórmula. Para completarla falta otro elemento: **la escucha**.

Podemos ser muy creativos, sí. PERO… si no tenemos a nadie a quien contárselo, estamos en las mismas. Es vital que todos los miembros de una organización tengan claro a quién acudir cuando tengan una idea que compartir, ya sea una persona concreta, un buzón de sugerencias o una máquina de café —en la antigua Grecia se acudía al Oráculo de Delfos en busca de soluciones; hoy es el Oráculo de Avimatic—.

PERO… nada de esto sirve si no disponemos del elemento multiplicador. Aquello que hace que todo esto pueda ser elevado a su máxima potencia. Y no es otro que… **la confianza**. Confianza en que aquella persona que trabaja en contabilidad igual tenga una solución genial para el problema que tienen en el almacén. O que las personas del *contact center*, que son realmente las que tienen la relación directa con el cliente final, hayan encontrado un método o solución para aquel problema del que se quejan los clientes de forma continua.

El buen humor genera un clima de confianza. La confianza favorece la creatividad, que, sumada a la escucha, nos lleva a obtener soluciones.

BUEN HUMOR => CONFIANZA => CREATIVIDAD + ESCUCHA = SOLUCIONES

Ángel largo es una de las personas más positivas que conozco. Tanto es así que ha hecho del optimismo su forma de vida.

Cuando conozco a Ángel gracias a nuestro buen amigo común Miguel Cruz —otro aventurero, que decidió dejar el confort de su trabajo en Madrid por abrirse paso en el mundo del cine en Los Ángeles… ¡con éxito!—, me parece que está como las maracas de Machín. Tronado como él solo, vamos. ¿Y por qué?

Ángel era fundador y copropietario de una compañía llamada Solutio, cuya misión era (es) proporcionar soluciones de I.T. a todo tipo de compañías. En aquel entonces, Solutio contaba con unos quinientos empleados y sedes tanto en España como en México. La compañía era una mina. Pero Ángel tenía otros planes.

Él creía en su misión, en su cometido. Con lo cual, dejó su compañía y se convirtió en un evangelizador del buenhumorismo. O «Good-mood evangelist» (Ángel, lo pongo en inglés porque todo en inglés suena más *cool*, y a lo mejor te eleva el caché). Vamos, que ya en sus cuarentas, con familia que mantener y un abono del Atleti que pagar, decidió empezar de cero. Y lo consiguió: Ángel monta la plataforma Mutare y se convierte en consultor de Recursos Humanos, donde busca —y encuentra— a las mejores personas para los puestos requeridos por sus clientes. Por sus manos, por su despacho, han pasado más de diez mil personas. Sus encuentros con ellos son la base de este libro.

Pero no solo eso, gracias a su plataforma HUDIPRO (Humor, Diversión, y Productividad) propaga su idea base —el buen humor es básico en la empresa y en la vida—, ya sea a través de charlas, *team buildings* o *workshops* (y dale con los términos en inglés…, ¡pero ya me dirás cómo traducimos «*team buildings*»!).

En mi caso, cuando nos conocimos, yo venía del mundo del humor. Tras una primera etapa como guionista y actor de televisión, llevaba años viviendo de hacer monólogos cómicos en todo tipo de locales y bajo todo tipo de circunstancias. Ángel tuvo una brillante idea: «¿Y si llevamos todas las herramientas que utilizas para hacer reír al entorno corporativo? ¿Y si enseñamos, a todo tipo de profesionales, a comunicar en público desde el humor?». Desde entonces hemos formado a miles de personas, de todo tipo de compañías y sectores, ayudándoles a escucharse más y mejor, a comunicarse desde el buen humor y a sacar toda la creatividad que llevan dentro. ¡Gracias, Ángel!

El libro que tienes en tus manos no es «un libro para leerlo en un fin de semana». No es un «*fast-book*». Es un libro cuyo autor lleva reflexionando desde hace casi una década, fruto de su experiencia como emprendedor y profesional de recursos humanos. Viene cargado de valiosas lecciones para aplicar en el día a día, y de multitud de pistas para que cada lector tome su propio camino en su viaje hacia la *desdramatización* de la vida. Disfrútalo poco a poco, degustando cada página. O no. ¡Da igual, haz lo que te dé la gana!

Ángel, socio, compañero, amigo, gracias por darme la oportunidad de escribir este (mi primer) prólogo. Es un placer trabajar y aprender de ti día a día. Espero que podamos seguir pregonando juntos, a los cuatro vientos, las bondades del «buenhumorismo». Y, sobre todo, espero que, algún día… ¡alguien nos haga caso!

Feliz lectura,

Manuel Feijóo Aragón

Introducción

Los riesgos de escribir un libro sobre desdramatizar

Soy consciente de que corro un gran peligro al escribir este libro. Los gobernantes de todas las naciones han ocultado y silenciado durante muchos años la información que aquí voy a desvelar.

No quiero dilatarlo y lo voy a hacer en este momento. El **gran secreto** oculto es que la **desdramatización** de las cosas que nos ocurren y la **aceptación** de nuestra condición de ser humano que trae consigo que seamos **seres erróneos** nos conducirán irremediablemente hacia la **libertad.**

Eso es aterrador para cualquier gobernante o mandatario que quiere que sus «súbditos», a veces llamados ciudadanos, tengan miedo, vivan asustados, se quejen de sus desgracias y estén distraídos con sus miserias.

La acogida de las fatalidades en la vida y la capacidad de reírnos de nosotros mismos y nuestras circunstancias es un grave peligro para todos aquellos que buscan «bien mandados» y «quejicas» alrededor de ellos para así imponer sus «tablas de salvación» y sus oportunas libertades para unos individuos oprimidos y totalmente miedosos. El gran riesgo que ven en esto es **tomar acción sin miedo.** ¿Os imagináis que todas las personas actuáramos así? ¿Qué pasaría con los gobernantes y sus reglas? ¿Cómo nos tomaríamos sus mensajes para asustar a la población?

Sé que estoy en el punto límite de la rebeldía ciudadana y puedo formar parte de un colectivo muy peligroso de seres humanos que actúan sin miedo, desdramatizan lo que les pasa y se sienten libres para opinar y pensar. ¡¡Cuidado, somos muchos!! ¡¡Quizás TÚ seas uno de los nuestros!! Esta posibilidad de que crezcamos y nos reproduzcamos aterra al jerarca, al que se considera por encima del bien y el mal, al que pone las reglas pero no las sigue.

Bueno, una vez acabada con la perorata libertaria, grita conmigo como en la película *Braveheart:* ¡¡Libertaaaaaaaaaaaaad¡¡

Este libro va de **aceptación** como sistema para convivir con nosotros mismos. También podemos aceptarnos aprendiendo a reírnos de nosotros mismos, de nuestros errores, nuestros fallos y nuestras adversidades.

Pero lo más importante de lo que va este libro es de **AMOR**. El amor que debemos tenernos a nosotros mismos, que algunos denominan **autoestima,** para así poder amar al os demás. El que no sabe amarse a sí mismo es difícil que pueda amar a los que les rodean. Amarse desde la **aceptación** y la **desdramatización**. De eso va todo este puñado de letras.

Decía **Aristóteles** que todos queremos ser felices. Pero he comprobado a lo largo de mi vida que algunos no quieren, y prefieren y disfrutan siendo desdichados y recreándose en su desgracia. No se aman.

El otro gran peligro que corro escribiendo este libro es que un colectivo, al que respeto y en el que tengo grandes amigos, me persiga y amenace por desvelar todo lo que pone en este libro.

Me refiero al grupo de **psicólogos** y **psiquiatras**, concretamente a los dedicados a la terapia. Pongo en grave riesgo muchas de las profesiones de estas personas, ya que al dar solución a los problemas que acechan al **ser humano** y aceptarse como son, y riéndose de sí mismos, es probable que su dolor y profundo malestar interior decrezcan o desaparezcan.

Pido perdón a todos esos grandes amigos que tantos años han dedicado a esta profesión. Dios se apiade de mi alma.

Aunque estoy plenamente convencido de que, aunque las personas sigan al pie de la letra lo que se introduce en este libro, todavía serán necesarios estos grandes profesionales.

Autoconvencimiento

Dicen los sabios y filósofos que una de las claves de la realización personal es el **autoconocimiento**. Saber de nuestras virtudes y también de nuestros defectos para poder mejorarlos. Conocer nuestros límites. Revisar nuestras creencias limitantes. Conocernos para saber cómo nos relacionamos con los demás. Indagar en aquello que creemos que nos impide avanzar. Identificar nuestras emociones y nuestros patrones de comportamiento. Saber cuáles son nuestros valores, y si estos son inalterables.

Todo esto requiere una **reflexión interior**. También funciona preguntar a personas cercanas a nosotros, y que nos quieren, para que nos digan cómo nos ven, desde la sinceridad, y prometiéndoles la falta de consecuencias y reproches. Es decir, se trata de identificar nuestras **«zonas ciegas»** de cómo nos ven los demás y cómo nos vemos nosotros.

También hay que tener **«conversaciones interiores»** con nosotros mismos. Estas conversaciones se deben hacer mediante **«preguntas poderosas»** que nos hacemos a nosotros, para poder sacar conclusiones importantes. Al igual que mantenemos **«conversaciones poderosas»** con los demás, también debemos hacerlas con nosotros mismos.

Una vez que tengamos esa «foto» de nuestro ser y de nuestra realidad, y tengamos identificadas nuestras áreas de mejora, llega el momento de la **acción**.

Para ellos necesitamos pasar a la fase de **autoconvencimiento**. Se trata de cambiar nuestra forma de pensar y poner los **verbos «poderosos» para nuestra transformación**:

- **Sí puedo.**
- **Es posible hacerlo.**
- **Puedo cambiar.**
- **Lograré hacerlo.**
- **Puedo conseguirlo.**
- **Si me empeño, podré.**

Es un cambio de **visión** orientada a los **objetivos** y a la **acción**.

Este autoconvencimiento también se puede gestionar para los «dramas» o dificultades que nos acontecen en nuestra vida:

- **Puedo superar esto.**
- **Esto también pasará.**
- **Si me esfuerzo, lograré vencerlo.**
- **De este momento saldré con más fuerza.**

Para convencer a los demás primero tienes que convencerte tú mismo. Se trata de un ejercicio purificador que nos hace pasar a otro nivel personal. Una versión mejorada de nosotros mismos. Una versión 2.0, 3.0 o del alcance que le demos durante nuestra vida.

La mejora constante debe ir unida a un modo de **autoconvencimiento** superior para ganar a nuestras limitaciones.

Durante varios capítulos y subcapítulos encontrarás diferentes **aprendizajes** que he ido adquiriendo mediante las **experiencias y observaciones** que he tenido con múltiples personas y situaciones.

A esto lo denomino **ideas-fuerza**, ya que las considero claves para instalar en la vida de cada persona en diferentes momentos.

Muchas de estas ideas-fuerza se repiten en diferentes capítulos o subcapítulos. Eso está de manera intencionada para resaltar la **importancia** de esa idea. Por lo que verás que insisto sobre algunos temas en diferentes partes del libro. Llámame pesado, aunque a mí me gusta más «insistente». Si lo hago, es para remarcar la importancia de lo que estoy contando, y porque en cada parte del libro tiene un sentido que así aparezca.

Estoy convencido de que el lector podrá coger cada capítulo como una lectura aparte. En todos los capítulos y subcapítulos trato temas que puedan ayudar a reflexionar o inspirar a las personas, o incluso que se vean retados a la **acción**. Cada capítulo, de manera particular, puede ser leído de forma independiente, como algo que pueda aportar una enseñanza o aprendizaje. Así está pensado este libro, «pequeños grandes aprendizajes» para poder aplicar a nuestra vida.

¿Quién eres tú para hablar de esto?

Soy un profesional experto en gestión de personas con más de veinticinco años de experiencia y, sobre todo y ante todo, un *observer* (observo a las personas). Estas son mis experiencias vitales:

- Más de diez mil personas entrevistadas para puestos de trabajo en más de veinticinco años como *headhunter*. Suelo escuchar quejas, falta de motivación, que le engañaron en su trabajo, que tenía un/a jefe/a imposible, que quiere cambiar de tipo de trabajo, que no le gusta lo que hace, que se siente poco valorado, que merece más, que ha tocado techo... He escuchado tantas cosas que he desarrollado un patrón de personas por el tipo de discurso que dan en las entrevistas.
- Más de treinta mil personas han pasado en los últimos años por mis cursos, conferencias y eventos sobre **actitud positiva y optimismo.** Mediante el **aprendizaje experiencial** he podido conectar y vincularme con personas de todo tipo de profesiones, culturas, inquietudes y valores para poder gestionar el **entusiasmo** en su vida personal y profesional. Cada experiencia ha sido diferente y me ha servido para saber cómo gestiona las sensaciones cada persona en función de lo que les pasa.
- Llevo haciendo **radio** desde 2014, dirigiendo mi propio programa sobre **humor y empresa.** Gracias a la oportunidad que me ofrecieron en **PR Noticias** descubrí un medio maravilloso para comunicarme con el mundo. Muchas entrevistas, muchas horas preguntando y viendo cómo se comportan las personas delante de una «alcachofa». He entrevistado a emprendedores, directivos, escritores, actores, cantantes, *coaches*, famosos, famosillos, oportunistas, apasionados, sosos, personas felices..., y en todo momento he aprendido, y sigo aprendiendo, con esta maravillosa experiencia.
- Soy un *voyeur*. Cuando estoy cerca de otras personas intento escuchar sus conversaciones (soy un *voyeur* del oído), sin invadir o que se sientan observados. Escucho a personas quejándose de su empresa, su jefe, su trabajo, su pareja, su vida, su familia, sus amigos, sus circunstancias, su retribución, su falta de trabajo..., ¡¡y me encanta hacerlo!!
- Me gusta conversar con personas para ayudarlas a reflexionar en su toma de decisiones: soy un imán para **conversaciones poderosas.** Muchas personas se dirigen a mí para pedirme consejo sobre su trabajo, su forma de entender la vida, si quieren montar un proyecto emprendedor, si deben

cambiar de pareja, si deben cambiar de amigos... Es un don que me han otorgado y que suelo utilizar para la **reflexión** y la **toma de decisiones individual**.

– Me interesa la satisfacción de las personas en el trabajo y en la vida: desde hace años pertenezco a la **Asociación para la Racionalización de los Horarios en España (ARHOE)**, donde analizamos, investigamos y gestionamos el **equilibrio de la vida personal y profesional** para tener una **vida plena**. También desde mi proyecto HUDIPRO **(Humor, Diversión y Productividad)** he realizados trabajos para investigar cómo se puede disfrutar en el trabajo y ser más feliz. He realizado el **primer proyecto de investigación sobre Actitud Positiva en el Trabajo**, juntamente con la **Universidad Francisco de Vitoria**, donde sacamos una conclusión potentísima: **la actitud se puede modificar**.

– Soy un emprendedor que gestiona emociones. Desde 1998 mi pasión es montar proyectos profesionales. Ya voy por la decena, y creo que no he terminado aún. En cada proyecto me ha obsesionado que mis colaboradores y empleados se sintieran bien, tuvieran plenitud personal en su vida y sintieran **orgullo de pertenencia**. Por eso me afané en varias tareas para que eso ocurriera. Desde revisar qué decían de mi empresa en webs hasta reuniones y encuestas, buzón de sugerencias y, sobre todo, **escuchar** a las personas para poder conseguir que se sintieran mejor. También escondía un fin egoísta en todo esto: quería sacar el mejor rendimiento de esas personas, sabiendo que su bienestar produce mejores resultados a mis proyectos.

Mi trabajo como «**buscador de talento**» me ha parecido siempre maravilloso. Soy como un duende que concede deseos, ya que puedo integrar a personas que buscan un trabajo que les haga sentirse plenos con empresas que buscan talento. Cuando consigo conectar a ambas partes, de manera satisfactoria, me siento como **Cupido**.

Una de las anécdotas que he tenido y que me ha supuesto ampliar mi círculo de amistades es cuando mi hijo tenía seis años y dijo en su clase que su papá se dedicaba a **conseguir trabajo para todo el mundo**. A partir de ese momento un montón de padres y madres se pusieron en contacto conmigo, con una amabilidad extrema.

También suelo dar conferencias a personas jóvenes que buscan su primer trabajo o que quieren montar un proyecto emprendedor. Siempre empiezo mi conferencia con la misma frase: «Cuidado con el primer trabajo que elegís porque os puede joder la vida». Y es que he conocido el caso de muchas personas que empezaron su carrera profesional realizando unas tareas, que con el tiempo les etiquetaron, y cuando quisieron cambiar, vieron la dificultad. La buena noticia es que **sí podemos cambiar nuestro destino.**

Y mi gran pasión es hablar, conversar, dar conferencias, talleres y formación experiencial sobre **Actitud Positiva y Optimismo.** Temática a la que llevo dedicado desde 2011, investigando, preguntando, leyendo, asistiendo a eventos y congresos, y sobre todo «experimentando» con miles de personas en empresas y organizaciones de todo tipo. Sin duda, mi **propósito de vida** es llevar la **actitud positiva** y el **optimismo** al mayor número de personas posibles.

Relativizar

Escribiendo este libro me pasa como cuando te quedas embarazado (yo no, mi señora esposa) o te compras un coche, que sueles ver eso por todas partes.

Por eso estoy escuchando constantemente lo de que «hay que relativizar» las cosas que nos pasan.

Ya en este capítulo quiero revelar al mundo los «grandes secretos» sobre como **desdramatizar**. Han sido años de investigación, lecturas y entrevistas con personas que me han aportado una idea clara sobre este asunto.

En este capítulo hablaremos de como **relativizar** para conseguir un **equilibrio emocional**. Ya introdujimos el tema principal sobre la **desdramatización**.

Y es que se trata no de **quitar importancia**, sino de **restársela**. Cuando habitualmente hablamos de cosas que **suman**, en este caso al drama, hay que **restar**.

Seré feliz cuando...

«La Felicidad es darse cuenta de que casi nada es demasiado importante» (Antonio Gala, escritor).

Mucha gente me dice: «Yo soy feliz cuando salgo del trabajo». ¡¡Están perdiendo más de cuarenta horas semanales en ser felices!! En tiempo real, se trata de más del 23% de la semana «sin ser feliz» o, peor aún, ¡¡sufriendo!!

Otras personas me dicen: «Me comporto de diferente manera en el trabajo y fuera de él». Y me pregunto: ¿Tienen un trastorno de personalidad, o personalidad múltiple? ¿Cuál es el ser humano auténtico de los dos?

Pasamos casi un tercio de nuestra vida trabajando, desplazándonos hacia el trabajo o pensando en el trabajo durante nuestro tiempo personal. ¿Quieres hacerlo sin ardor o con falta de entusiasmo?

El «síndrome de felicidad aplazada» cuestiona que algunas personas se plantean ser felices cuando se produzca un **cambio** en su vida. Cuando tengan trabajo, cuando tengan el dinero suficiente, cuando tengan su propia casa, cuando se casen, cuando tengan hijos, cuando los hijos se vayan del hogar, cuando se jubilen...

Porque no es lo mismo desdramatizar que relativizar

Si analizamos ambos términos desde su **significado** según la **Real Academia de Lengua Española,** encontramos lo siguiente:

Relativizar

RAE: Introducir en la consideración de un asunto aspectos que atenúan sus efectos o su importancia.

Otros significados:

1. Conceder a algo un valor o importancia menor.
2. Dar menos importancia a un asunto al relacionarlo con otros aspectos.

Desdramatizar

RAE: Quitar pasión y virulencia a un asunto.
Otro significado: Restar o mitigar la importancia o gravedad de un suceso.

Si relativizamos, le estamos concediendo una importancia **menor**. En cuanto a desdramatizar, se trata de quitarle esa carga afectiva y pasional que nos hace pensar en lo catastrófico de la situación, provocando un **hundimiento** de la persona.

No se trata de quitar importancia a asuntos graves como, por ejemplo: **la muerte, la enfermedad, un accidente, el desempleo, las adicciones…**

Se trata de **observar la situación** desde una óptica menos ferviente y que nos permita **no frustrarnos** y poder afrontarla.

La relativización es como un «bah, no tiene importancia». Y no es que no la tenga —quién soy yo para darle un peso de importancia a cualquier asunto—, eso es algo personal y subjetivo. Lo que te propongo es que hay que afrontar la situación desde la capacidad de no generar un **drama** en nuestra persona y en las que nos rodean.

En este libro trataremos el **drama** como algo capaz de superarse; y también haremos hincapié en la facultad del **ser humano de crear dramas donde no existen**, siendo esto a veces una señal para llamar la atención sobre algo que queremos que los demás observen.

Equilibrio emocional

Normalmente nos autovaloramos de manera positiva en lo que acontece en nuestra vida.

Nos consideramos buenos trabajadores, buenos padres, buenos hijos…

Esta forma subjetiva de vernos nos sirve para afrontar las desgracias cuando vienen. Si un hijo hace algo malo, pensamos que no es nuestra culpa porque hemos sido buenos padres, y miramos a su entorno o a otras circunstancias ajenas a lo bien que nosotros lo hemos hecho según nuestro punto de visa.

Cuando vemos claramente un error o que nos hemos equivocado, estamos iniciando el camino hacia la transformación personal. Si descubro y me doy cuenta de que quizás no he sido tan buen padre, eso puede llevar a rectificar mi error o a modificar mi conducta con mis hijos.

Los seres humanos elaboramos mecanismos de defensa cuyo objetivo es preservar el equilibrio emocional, la autoestima personal y la forma de vernos ante los demás. Por eso damos a nuestras experiencias la finalidad de aprendizajes, para conseguir un beneficio personal de lo malo ocurrido, con el objetivo de conseguir de nuevo esa ansiada armonía o bien mitigar la angustia y el estrés causados a nuestra persona. Esto nos sirve para no desmoronarnos.

Autoamor para amar a los demás

Autoestima = Autoamor = Amor propio = Amor por ti para amar a los demás.

Nos pone el foco en nosotros mismos, en lugar de hacerlo en la fortuna o las circunstancias fuera de nosotros.

Sentir que nos queremos y tenemos el control de nuestras sensaciones nos hace más potentes ante las desgracias y nos permite protegernos ante los sentimientos de impotencia o indefensión.

Se trata de centrarnos en aquello que hacemos bien o se nos da bien y queremos mejorar, para forjar la autoestima en nosotros, y también generar autoconfianza en nuestra forma de **ser y actuar.**

No somos torpes o erróneos en todo. Hay cosas que hacemos bien y solventamos con cierta habilidad. Centrarnos en los aspectos positivos que tenemos mejorará nuestra confianza en nosotros mismos y nuestro amor por nuestra propia persona.

Me quiero, y eso hace que sea merecedor del amor de los demás y me permite amar a los que me rodean siendo yo mismo.

La incertidumbre nos genera miedo y zozobra

¿Qué suele darnos miedo?

Cuando éramos niños, los «monstruos», la oscuridad o aquello que nos inquietaba porque podía hacernos daño eran lo que nos asustaba.

A los adultos lo que verdaderamente nos asusta e inquieta es la **incertidumbre** y sobre todo no tener control de lo que va a pasar en nuestra vida.

Dice el doctor **Luis Rojas Marcos** en su libro *Superar la adversidad* (Espasa, 2019) que existen **desdichas comunes y otras excepcionales.**

Según los estudios recientes, vamos a pasar al menos por un par de hechos traumáticos en nuestra vida. ¿Cómo prepararnos? NO podemos prepararnos ante lo inesperado, por ser algo que no podemos planificar ni controlar. Hechos como la muerte de alguien cercano y no prevista en el «orden natural» es algo para lo que nadie puede prepararse.

Cuando un hecho **traumático** ocurre a «otra persona» solemos caer en la tentación de intentar consolarla diciendo que la entendemos. Es totalmente erróneo pensar que **«entendemos»** cómo se **siente** la otra persona ante un hecho traumático e inesperado. Si no lo experimentamos en primera persona, no podemos alcanzar la empatía total. No existe la igualdad de emociones sentidas por personas diferentes, ya que cada uno tiene un histórico de sentimientos y como los vive o puede vivirlas que nos hace totalmente diferentes. Por eso decimos que los **seres humanos** somos **únicos y diferentes.**

Es por esto que eliminaría la frase hecha **«te entiendo»** en este tipo de situaciones de consuelo al prójimo. No, no me entiendes (o no le entiendo). Crees que es así, pero lo que tú hayas vivido no es lo mismo que lo que vivo y siento yo ante este acontecimiento.

Como seres humanos, nos gusta controlar nuestro futuro y lo que nos puede acontecer. Por eso pensamos en qué vamos a hacer mañana, el fin de semana o la próxima semana, o en nuestras vacaciones. Tenemos nuestro pensamiento en el futuro, que nos ilusiona, porque estamos convencidos de que va a ser mejor que nuestro presente actual. Un nuevo desafío profesional, una nueva casa, un nuevo coche... Esto es debido a la conciencia de futuro que tenemos.

Necesitamos controlar y anticipar los sucesos para sentirnos seguros y tranquilos.

Nuestro sentido de la seguridad está basado en la «falsa sensación de control» que tenemos sobre lo que creemos que va a ocurrir.

Y es cuando ocurren hechos inesperados y que están fuera de nuestro «control» cuando nos derrumbamos.

Al ser humano le gusta lo que controla y al cerebro le encanta vivir en «**piloto automático**», con tareas que domina y no le suponen angustia o desazón

Podemos perder la autoconfianza ante ciertas situaciones negativas que nos ocurren.

Un ejemplo que he visto miles de veces en algunas personas, debido a mi profesión de recursos humanos, es la pérdida de un trabajo debido a un despido laboral no deseado y que no han visto venir. Algunas personas se vienen abajo, pierden la confianza en ellas mismas y su autoestima sufre un gran golpe. Eventos como este, que nos pilla desprevenidos, sin señales previas, generan un desencanto del que cuesta recuperarse.

Tras un acontecimiento como un despido que toca nuestra sensación de seguridad económica y social se producen desencadenantes que he comprobado en diferentes personas que suelen repetirse. Viene una serie de etapas, más o menos seguidas, que suele tener este orden:

1. **Autoculpa.** Qué he hecho mal o debería haber hecho o no haber hecho.
2. **Rencor.** Con lo que yo he dado a esta empresa. Qué mal se han portado. Son unos desagradecidos.
3. **Desesperación y frustración.** ¿Ahora qué hago? ¿Encontraré otro trabajo? ¿Será como el que tenía?
4. **Aceptación.** Bueno, esto es lo que hay. Debo seguir adelante. Es hora de ponerse en busca de otro proyecto.
5. **Ilusión.** Lo mismo me viene bien. Ya estaba un poco harto/a y necesitaba un cambio. Es posible que encuentre algo mejor. Lo mismo puedo emprender un proyecto propio y ahora es el momento.

No todas las personas tienen por qué pasar por estas fases, ni recorrerlas todas en ese orden, aunque la mayoría de las que he observado durante más de veinticinco años lo hacen.

El estrés y la ansiedad son compañeras de la desgracia y la calamidad. El azar puede hacer que personas con estabilidad emocional y equilibrio de vida puedan zozobrar ante sucesos inesperados.

Entonces ¿podemos prepararnos para estos momentos inesperados? La respuesta es **NO**. Así de rotundo. Es como prepararnos para morir, es prácticamente una quimera ilusoria. Aunque sí podemos entrenar nuestra mente para minimizar el impacto afectivo si somos capaces de afrontar que puede venir algo que nos desestabilice emocionalmente.

¿Cómo podemos hacerlo? **R-E-L-A-T-I-V-I-Z-A-N-D-O** y **D-E-S-D-R-A-M-A-T-I-Z-A-N-D-O** (lo pongo letra por letra para remarcar la sonoridad y potencia de ambas palabras).

Si logramos desdramatizar los infortunios comunes y poco importantes, o al menos no traumáticos, estaremos preparando nuestro cerebro para momentos más complicados.

He comprobado cómo funciona este entrenamiento observando a muchas personas. No enfadarse por pequeños «fracasos», relativizar un problema no trágico, buscar rápidamente la solución sin perder tiempo… son formas de **RELATIVIZAR y DESDRAMATIZAR.**

Por eso te recomiendo que no pierdas tiempo: empieza a relativizar y desdramatizar aquellas «pequeñas desgracias cotidianas» y di a tu cerebro que empiece a pensar que eso es menos grave y que pronto pasará.

El ser humano debería ser capaz de discernir y diferenciar entre **drama** y **minidrama**. Es nuestra obligación **ayudar** a las personas que están pasando por un verdadero **drama** (la muerte de alguien cercano, una enfermedad importante, una pérdida irreparable…). Deberíamos ser sensibles con el sufrimiento de los demás. En esos casos, pongámonos a su disposición y ofrezcamos nuestra ayuda, nuestro hombro para llorar y nuestra disposición a escuchar a esa persona para que suelte «lastre».

Podemos ayudar de muchas maneras, no solo encontrando una solución, sino también ofreciéndonos a apoyar desde el cariño y el AMOR (lo que nos cuesta hablar de amor en la vida). Centrándonos en la ayuda al prójimo seguramente podremos minimizar nuestro «pesar» sobre lo que nos pasa.

La inseguridad produce sufrimiento. La seguridad genera estabilidad emocional

La **inseguridad** produce sufrimiento. Nos impide disfrutar del presente y puede condicionar nuestro futuro.

La **seguridad** produce confianza en uno mismo y estabilidad emocional. Es una actitud ante la vida. La necesidad de seguridad es vital en la mayoría de los seres humanos. La necesitan, la anhelan y la desean.

Hay otras personas, más vulnerables y con mayor sensibilidad a los tropiezos, que enseguida pierden seguridad ante situaciones menos graves, como pueden ser las críticas que pueden recibir de su entorno. Estas personas suelen «**dramatizar**» las críticas elevándolas a verdades absolutas y generalizadas, sintiendo la culpa o sintiendo que son atacados por los demás. En estos casos merece la pena contrastar los datos que hacen que nos sintamos mal formulándonos (o formulando a nuestro interlocutor) algunas «**preguntas aclaratorias para mi bienestar**»:

- ➤ ¿Objetivamente pueden tener razón en las críticas que me hacen? ¿Qué parte de la crítica asumo que es responsabilidad mía y puedo mejorar?
- ➤ ¿Eso que me dicen es una opinión generalizada o solo de esa persona? ¿Todo el mundo piensa igual?
- ➤ ¿Es una crítica injusta o basada en sentimientos que tiene la otra persona, como celos, envidia o venganza?
- ➤ ¿Esas críticas van a derivar en una situación catastrófica para mí? ¿Voy a tener una gran pérdida? ¿Se van a cumplir mis peores presagios?

Las personas que tienden a pensar de forma negativa suelen pasarlo fatal y sufrir mucho, ya que se sienten muy inseguras.

Muchas veces se trata de contrastar los datos objetivos y las percepciones subjetivas con las personas implicadas. No hay que tener miedo a preguntar, sobre todo a las personas cercanas, para contrastar nuestra comprensión o buscar una mejora personal.

Pongamos un ejemplo: si recibes una crítica sobre tu forma de actuar «siempre de manera egoísta», las preguntas correctas para aclarar la situación real deberían ser:

- ¿En todo momento soy egoísta?
- ¿En qué casos soy egoísta? ¿Puedes ponerme ejemplos reales?
- ¿Me comporto de manera egoísta por alguna causa justificada? ¿Tiene explicación mi comportamiento?

Se trata de mejorar nuestros defectos y convertirnos en personas seguras, admitiendo nuestras debilidades.

Se trata de buscar pruebas que corroboren nuestra área de mejora o que invaliden el pensamiento negativo. Así es como podemos alcanzar niveles altos de **seguridad** y **confianza** en uno mismo.

La inseguridad nos puede inducir a interpretar nuestras experiencias irracional y negativamente. Los acontecimientos inesperados negativos pueden darnos inseguridad momentánea, aunque deberían ser los aprendizajes para mostrarnos resistentes ante la frustración. Cualquier momento inesperado puede ser interpretado por nosotros como un error irremediable y catastrófico o como un aprendizaje para fortalecer nuestra confianza ante siguientes sucesos.

Desde hace tiempo defiendo que **no** somos seres humanos, somos **SERES ERRÓNEOS,** ya que nos equivocamos constantemente y lo seguiremos haciendo hasta el último momento de nuestra existencia. Cómo interpretamos esos errores y cómo nos fortalecen para afrontar los siguientes nos darán la clave de la **confianza** y la **seguridad** para lograr la tan ansiada **tranquilidad emocional** que tanto deseamos.

Como dice **María Jesús Álava** en su libro *Recuperar la ilusión* (La Esfera de los Libros, 2011), «**si dejamos que otros sean nuestros jueces, nos sentiremos más inseguros y vulnerables**».

La interpretación de lo que nos pasa que nosotros hacemos puede (y suele) ser distinta a la de los demás. Por eso debemos analizar si merece la pena sentirnos juzgados ante la realidad que vivimos de diferente manera.

Recuperar la ilusión

Estoy convencido de que absolutamente todas las personas han estado ilusionadas en su vida al menos alguna vez (o varias, o muchas).

Cuando perdemos la confianza de hacerlo, estamos dando un golpe a nuestra esencia como seres humanos. La naturaleza del ser humano es estar entusiasmado con lo que puede acontecer en la vida.

Por eso muchos autores, investigadores, científicos, filósofos y todo tipo de gurús y entendidos hablan de **reilusionarse.**

Un médico prestigioso en una conferencia (perdón por no acordarme de su nombre) dijo una frase que me impactó:

«Los seres humanos podemos vivir cuarenta días sin comida, tres días sin beber agua, siete minutos sin respirar y apenas unos segundos sin ilusión».

¿Y cómo podemos recuperar esa emoción?

Una cosa que funciona en casi todas las personas es establecer una comparativa con las desgracias ajenas. Eso nos ayuda a exceder las nuestras y a sentirnos mejor.

Como el resumen de un cuento que termina de la siguiente manera:

«Lloraba porque no tenía nada más que un par de zapatos y no podía comprarme otros, hasta que vi a alguien descalzo».

Una de las claves de ilusionarse es cómo interpretamos los sucesos pasados, presentes y los que pueden ocurrir en el futuro, ya que esas interpretaciones marcan nuestro optimismo y pesimismo sobre las cosas.

Quien hace las paces con su pasado disfruta de una mayor paz interior que le anima a gestionar mejor su presente y su futuro.

Restar importancia, no quitársela

Todas las formas en las que he desdramatizado han sido enseñanzas que he ido obteniendo a lo largo de mi vida. Lo he ido asimilando por las experiencias a lo largo de los años.

La conclusión con las cosas que me pasan es la siguiente: **se trata de restar importancia, no de quitársela.**

Restar o quitar importancia, o, como dicen algunas frases españolas, **quitar hierro al asunto** (metal pesado que al quitarlo hace más ligera la carga), supone enfrentarnos a la realidad, por muy dura que esta sea, de manera más liviana y con una capacidad **«menos dramática»** de la situación.

La importancia que damos a las cosas que nos ocurren tiene un cierto grado de subjetividad. El mismo problema visto desde fuera, o desde otro punto de vista, adquiere una relativa importancia. Normalmente, las cosas que nos pasan adquieren un matiz de mayor importancia que la que les ocurren a los demás. Es humano verlo desde nuestro lado «trágico».

Si a esa resta le añadimos la suma de confianza para conquistar seguridad en nosotros mismos, la fórmula sería la siguiente:

Desastre/problema – restar importancia + sumar confianza = mayor seguridad en nosotros mismos.

La seguridad se conquista día a día. Podemos perderla, pero no que nos la hagan perder. Está dentro de nosotros, no en los demás, ni en las circunstancias que nos acontecen. Cuando estamos seguros no dudamos. La duda lleva al error, no al fallo. El fallo forma parte de la naturaleza humana; el error es inherente al ser humano. Somos **seres erróneos.** Cuando el fallo y el error aparecen, dudamos. Si nos sentimos seguros y con confianza, seguimos avanzando, a pesar del traspié.

Desdramatizar para superar los problemas y las adversidades

El 19 de abril de 2016 publiqué el siguiente artículo en la plataforma sobre **Humor, Diversión y Productividad** (www.hudipro.com).

¿En qué consiste desdramatizar? La definición que obtenemos es:

Restar o mitigar la importancia o gravedad de un suceso.

Quitar o disminuir el carácter dramático de un hecho.

*Es decir, que debemos **quitar, disminuir, restar o mitigar**. Se trata de «quitar hierro al asunto», como decimos comúnmente.*

*Pero, si no somos capaces de hacerlo, ¿cómo nos enfrentamos al problema? Aunque existen varias corrientes de cómo afrontar un «drama», la primera fase es la más acogida por psicólogos y científicos: **la aceptación**. Es decir, te j…, conformas con lo que hay. Esto es así, no le des más vueltas, no puedes hacer nada para cambiarlo, no está en tu mano, no te molestes, ajo y agua…*

Lo acepto, lo asimilo, me conformo y vivo con ello. Ole y ole los expertos que nos dejan hundirnos en nuestra miseria.

¿Qué pasaría si además de aceptarlo nos riéramos de ello? ¿Si miramos el problema a la cara y le decimos «me río de ti y de tus consecuencias»? ¿Está moralmente aceptado reírnos de todo?

*Aquí surgen los dilemas morales, sobre todo para las personas que tienen moral, y surgen debates como «¿nos podemos reír de la muerte?», «¿y de un accidente grave?», «¿y de una minusvalía o incapacidad?». La primera corrección es que la desdramatización consiste en la habilidad de reírse **de uno mismo**, no de los demás. Respetando las emociones y sentimientos del resto de personas, se trata de una **actitud vital** respecto a los problemas **con nosotros mismos**. No es reírse de alguien que ha tenido una muerte repentina, sino de la situación que haríamos si nos pasase a nosotros. La irradiación de desdramatizar riéndose de uno mismo es tan potente que probablemente sea contagiosa a los demás, aunque no sea a todos de la misma manera.*

La otra cuestión es la de desdramatizar sobre problemas «no tan graves».

*Al estudiante desesperado que no logra sacar sus asignaturas le inundan los pensamientos negativos: He suspendido, entonces no pasaré de curso, ya no lograré estar con mis compañeros, mis padres me castigarán, caeré en una depresión, seguramente no sacaré los estudios, solo conseguiré trabajos poco remunerados, no encontraré pareja, viviré solo y mi vida será un asco. Todos estos acontecimientos que han pasado en apenas unos segundos son un resumen de una vida **posible pero improbable**.*

*La desdramatización también consiste en alejar los pensamientos negativos de las consecuencias de un hecho. Lo que es seguro es que he suspendido, lo que es altamente improbable es que tenga una vida de mierda por ello. Aquí sí funciona el termino **quitar importancia**.*

Se trata de exprimir el hecho para tomar acción.

Salgo a ligar para encontrar pareja. Esa/e chica/chico me ha dicho que NO, pues voy a por la siguiente, y si no, pues a por la siguiente, y si no, a por la siguiente, y si no, me voy a casa a ver una buena película. Se trata de hacer frente al drama de ser rechazado y creer que ya nunca en la vida podremos ser felices porque ya no vamos a poder tener una relación de pareja y nos convertiremos en una persona solitaria con gatos que hacen sus necesidades por toda la casa y viviremos entre excrementos durante años hasta que encuentren nuestro cuerpo devorado por los gatos y sus heces.

¿Qué les pasa a las personas que desdramatizan?

- **Suelen ser más felices.** *Ya que no viven la vida como algo dramático y horroroso por cada desgracia que les ocurre y asumen que tarde o temprano vendrá un problema o una adversidad, sabiendo cómo afrontarlas inicialmente.*
- **Irradian positivismo y alegría.** *Aquellas personas que ven en un problema algo divertido seguramente tendrán un entorno que quiera estar con ellas y disfrutar de su buen humor.*
- **Empatía con las personas.** *Establecen una conexión vital con las personas, ya que ofrecen un punto de vista diferente por el que se puede salir adelante con buen humor y acción.*
- **Tienen más posibilidades de ligar.** *Esto no está científicamente probado, pero respondamos a una pregunta: ¿con quién quieres estar y pasar tu vida, con el/la guapo/a depresivo/a o con la persona que te hace reír?*

Ahora bien, nadie ha dicho que sea fácil. Requiere entrenamiento, entereza, capacidad de reírse de uno mismo, y sobre todo una forma de entender la vida diferente a pensar que cualquier problema nos supone consecuencias catastróficas.

Y tú ¿desdramatizas?

Maldito refranero

Vivimos en una sociedad en la que nos ponen límites. Y algunos de esos límites, o **creencias limitantes,** nos los autoimponemos. Puede llegar a ser cultural.

Uno de esos lastres culturales es el **refranero.** La tragedia de entender los refranes como verdades absolutas o valores inalterables que gobiernan nuestra vida.

Ese entendimiento generalizado de que cada refrán contiene una **verdad incontestable** por la que debemos regir nuestro camino. Esto ha hecho mucho daño en las personas.

Pongamos algunos ejemplos y sus posibles interpretaciones que generan trastornos.

- **Al pan, pan, y al vino, vino.** Se confunde con decir las cosas como se creen que son. Esto a veces se denomina **sincericidio,** que consiste en que la persona se cree sincera y con eso puede decir lo que quiera y ofender a los demás. Como, por ejemplo: «Estás muy gorda». Esto puede afectar psicológicamente a la persona y puede llevarle a estados de depresión, bulimia, anorexia o trastornos alimenticios. ¿Merece la pena ser tan sincero cuando haces daño?
- **A buen entendedor, pocas palabras bastan.** Con esta frase damos por hecho que el que no nos entiende es algo como un bobo o un imbécil. Es como decir «no necesito explicarme más, debes haberme entendido a la primera». Todo esto hace que la falta de aclaración genere malentendidos que derivan en conflictos, errores, desencuentros y falta de empatía, entre otras. La falta de comunicación es la gran generadora de conflictos de la historia de la humanidad.
- **A caballo regalado no le mires el diente.** Se puede entender como no despreciar un regalo, aunque algunas personas lo entienden como no quejarme por lo recibido, sea lo que sea. Esto genera que a veces se puedan dar injusticias, ya que se otorga algo para tapar alguna injusticia. Por ejemplo, es como decir a los países de África que no se quejen por la ayuda humanitaria recibida, cuando se les está «usurpando» parte de su producción territorial valiosa para los países del primer mundo.

- **A grandes males, grandes remedios.** Este posiblemente es uno de los refranes que han podido hacer más daño en la historia. Se ha interpretado como acometer «acciones extremas» para atajar los problemas. Si nos tiran una bomba, nosotros tiramos tres, y luego ellos, cinco. Si me roban, yo robo. Si me ofenden, yo agredo. Estos «grandes remedios» han generado más desunión en el mundo que cualquier otra desavenencia humana.
- **A la arrogancia de pedir, la virtud de no dar.** Ni que decir tiene las consecuencias de una sociedad individualista y deshumanizada que hay detrás este refrán. Tú pide, que yo no te voy a dar. Es el resumen de una sociedad desesperanzada y con falta de misericordia con los demás. Los pobres deben seguir siendo pobres. Los que tienen algo, aunque sea poco, mejor que lo conserven. Forma parte de nuestro desarraigo con los demás seres humanos.
- **A lo hecho, pecho.** Muy de «machotes» esta frase. Es como «apechugar» con lo que uno hace. Lo que puede entenderse como un acto de valentía para encarar lo que se ha acometido también se puede entender, y en muchas ocasiones se hace, como un acto de «chulería» o desafección con los errores cometidos. La falta de perdón y reconciliación puede estar detrás de este refrán.
- **A la tercera va la vencida.** ¿Y por qué no a la cuarta o a la quinta? Esta «falsa creencia» de que este refrán guiará nuestra ruta en la vida y remendará nuestros errores en la tercera ocasión ha podido «sugestionar» a muchas personas a abandonar (a la tercera intentona) o de no ser constantes con su vida.
- **Al mal tiempo, buena cara.** La bondad de este refrán nos invita al optimismo y a sonreír a los infortunios, algo con lo que estoy totalmente de acuerdo. Aunque mal interpretado, nos cercena nuestra capacidad para quejarnos y desahogarnos. ¿Por qué no podemos maldecir, gritar o quejarnos durante un rato? Estamos teniendo una «mala racha», pues insultemos a nuestro destino, maldigamos a los que nos impiden cumplir nuestros sueños (no a su cara). Vociferemos nuestra fatalidad. Se trata de quitarnos un «peso de encima». Aunque sea durante solo un rato, un tiempo determinado, un momento de «ira controlada».
- **A palabras necias, oídos sordos.** Otro refrán que invita, en primera instancia, a despegarnos de las personas tóxicas o negativas que quieren ofendernos o humillarnos. Esto está bien, mientras no tengas que hacer

frente a la situación. Se trata de «hacer cara» a aquella persona que pretende difamar o dar mala fama. ¿Por qué debemos callarnos? ¿No tenemos derecho a defendernos? Se trata de ejercer la «justicia» con nosotros mismos y no tragarnos todo aquello que nos dicen sin poder defender nuestros actos. No confundir con justificar; si se debe pedir perdón por un «acto malvado», se debe hacer. Se trata de combatir la injusticia y la difamación.

- **A rey muerto, rey puesto.** Este refranero popular de siglos atrás nos hace alinearnos con el que ejerce el poder en el momento. Esto fomenta la deslealtad y la falta de valores humanos. Ejerce un poder de persuasión hacia el que manda en ese momento y una desafección con el anterior. Es la forma de rebajarse ante las consecuencias y no poder ejercer la justicia moral con el pasado.
- **A perro flaco todo son pulgas.** Claro, maldita nuestra suerte. El sino ha querido que «todo nos pase a nosotros», y este refrán lo refrenda. Soy un pobre desgraciado y no voy a levantar cabeza. ¿Para qué luchar? ¿Para qué volver a intentarlo? ¿Cuántas personas habrán abandonado amparándose en este refrán?
- **Amores reñidos son los más queridos.** Este peligrosísimo refrán puede constituir uno de los acervos culturales sobre la violencia machista. Aceptar que el conflicto y el desencuentro generan «amor» es tan peligroso que afortunadamente la sociedad está empezando a descartarlo y condenarlo. Un avance claro sobre el «cuestionamiento cultural» de los refranes.

Podríamos estar contando muchos refranes que pueden condicionar nuestra vida (a veces a peor, o simplemente abandonarnos a nuestra suerte sin hacer nada) y convertirnos en seres desgraciados. Dejo a interpretación del lector algunos más, que, por conocidos, pueden estar arraigados en sus «creencias limitantes»:

- A Dios rogando y con el mazo dando.
- Agua pasada no mueve molino.
- Al que le pique que se rasque.
- Año de nieves, año de bienes.
- Caballo grande, ande o no ande.
- Cada maestrillo tiene su librillo.
- Aunque la mona se vista de seda, mona se queda…

¿Hace falta seguir?

Ejercicio práctico: Quita la «**enseñanza tóxica**» de cada refrán popular. Luego reflexiona si alguna vez te ha influido en tu manera de actuar y comportarte.

Back to basics

Regresar a los **básicos**. A aquello que nos llena de plenitud, que nos da gozo, que nos permite **vivir.**

Un buen amigo psicólogo me dijo que las «mejores cosas de este mundo son gratis». Como no me vio muy convencido, me lo argumentó con algunas «preguntas poderosas»: ¿Cuánto cuesta observar una puesta de sol o un amanecer? ¿Y mantener una conversación con un buen amigo? ¿Y ver como tu hijo juega con dos piedras? ¿Y disfrutar con la sonrisa de un niño?

Volver a la **esencia** del ser humano es poder **redisfrutar** de la vida, de lo básico, de lo que nos hace **humanos.**

Desdramatizar para vivir mejor

«Vivimos dramáticamente en un mundo que no es dramático» (George Santayana, filósofo y novelista español).

«Somos nuestras emociones» (se me ocurrió un día, pero seguro que lo ha dicho otra persona antes).

Si al frotar una lámpara mágica saliera un genio que me preguntara qué es lo que querría para mi vida de forma permanente, seguramente le diría que **plenitud.**

¿Pensabas que iba a decir felicidad? Pues tendrás que leer este capítulo para saber la diferencia y por qué elegiría **plenitud.**

Lo que sí he podido comprobar es que muchas personas le pedirían al genio poder «**dejar de sufrir**». Y es que observo constantemente que muchas personas viven **sufriendo**, y eso me apena y me entristece. Es por eso que este libro está pensado en aquellos «seres sufrientes». Si con estas páginas en este capítulo puedo aliviar algo su dolor, me daré por más que satisfecho.

Que los dramas no ocurran

Cuando tenía unos siete años, jugando en el parque, estábamos divirtiéndonos con otros niños pasando por delante de los que se columpiaban, logrando que no te golpearan. Un niño me golpeó con su columpio al pasar en mi cabeza, lo que originó una brecha que sangraba. No me dolió tanto el golpe como la humillación de ver cómo todos los niños de mi alrededor se reían de mí. ¡¡Me quería morir!! ¡¡¿Cómo podían estar riéndose de mi persona mis propios amigos?!! La infancia tiene este tipo de crueldades, que sueles sufrir y acatar, sobre todo en los años setenta, cuando ocurrió esta anécdota. Cuando se me pasó el berrinche me dije a mí mismo que nunca volvería a sentirme mal porque otros se rieran de mí, que me dejaría de importar. No pasó de inmediato, tuve que vivir otros episodios de humillación, pero con el tiempo fui atenuando esa sensación, en la que el único que podía sentirse mal era yo mismo, con mis pensamientos, no por cómo actuaban los demás.

Lo que descubrí hace ya un tiempo, que no se trata tanto de desdramatizar como de trabajar para que los dramas no ocurran.

Todo tiene que ver con nuestras **expectativas** y las decepciones que sufrimos cuando éstas no se cumplen. Algunas personas dicen que somos «dueños» de nuestras expectativas. Yo pienso que más bien somos «esclavos». Esperar a que suceda algo, con gran interés, nos puede llevar a la **decepción** si vemos que no se cumple total o parcialmente. Eso puede generar un **drama.**

Si, además, tus expectativas dependen de terceras personas, entonces no tienes control sobre la situación.

Saber controlar nuestras expectativas disminuirá las decepciones y el surgimiento de los dramas. Se trata de examinar lo que esperamos y darle un margen de «esperanza» para que no caigamos en el desencanto.

Dice el gran cantante **Jorge Drexler**, en una de sus canciones, «me relaciono mal con el drama». A mí me pasa lo mismo. Cuando veo un drama o lo intuyo, me salen dos formas de actuar. O saco mi parte cómica, la que quiere disfrutar a pesar de la situación, o me sale evitar el drama, bien huyendo o bien obviándolo. Por eso no me gusta ir a los entierros, tanatorios u hospitales para visitar enfermos.

Condicionados por nuestras creencias

Las desgracias y los dramas ocurren. Pero ¿cómo los superamos? Es aquí donde entran en juego nuestras creencias.

Si se nos muere un familiar o un ser querido y hemos leído o, lo más importante, estamos **convencidos** de que el duelo se pasará transcurrido un año, será pasado ese año cuando tengamos posibilidades de recuperarnos.

Si rompemos con nuestra pareja y en nuestro entorno nos dicen que la siguiente pareja que tengamos no será la definitiva porque cumplirá el papel de vacío que tenemos y ni por asomo será nuestro amor verdadero, seguramente así será.

¿Os suenan estos datos como veraces? ¿Los damos por sentados y son inamovibles? ¿Forman parte de nuestras creencias?

Nuestras creencias forman parte de las **profecías autocumplidas**. ¿Por qué no puedo enamorarme a los pocos días de romper con mi pareja? ¿Por qué no puedo pasar pronto el duelo de la pérdida de un ser querido? ¿Quién dice que no puedo ser la excepción, o la estadística rara de algo que ocurre a muchas personas?

Las creencias que tenemos nos hacen agrandar o decrecer nuestros dramas.

Si pudiéramos ver la desgracia con la perspectiva de situarnos en el tiempo futuro, donde pudiéramos visualizar cuán importante es eso que nos está pasando ahora, es posible que viéramos el hecho desde un punto de vista menos grave para nosotros.

Te propongo un ejercicio. Apunta en una hoja eso que te está preocupando tantísimo en estos momentos. No olvides tener un titular y enumerar algunos detalles. Ahora guárdalo en un sitio seguro. Busca lo que has escrito y vuelve a leerlo después de un mes. ¿Cómo lo ves ahora? ¿De la misma manera? Vuélvelo a guardar y léelo a los seis meses, al año, después de dos años… En eso consiste relativizar el problema. Si has hecho este ejercicio alguna vez, habrás aprendido que todo se ve distinto con el tiempo. Hazlo, y pronto estará dentro de tus creencias. Si adquieres este hábito, aprenderás a relativizar todo lo que te ocurra.

Pensamientos negativos

Los pensamientos negativos nos golpean cuando algo nos pasa. Suelen atormentarnos con lo que nos está pasando ahora o nos puede pasar en un futuro.

Estos pensamientos nos impiden disfrutar de cualquier momento que tengamos, ya que son recurrentes y suelen aparecer mientras lo pasamos bien o lo pasamos mal de manera indiferente.

Tampoco nos dejan aceptar la situación que vivimos para luego poder pasar página. Nos «martillean» no dejándonos pasar a la **acción**. No podemos superar ese estado que nos disgusta porque esos pensamientos nos anclan y nos hacen permanecer dando vueltas al asunto con golpes negativos a nuestro cerebro.

Invaden la mente en el presente y también nos generan ansiedad cuando los proyectamos en el futuro.

Alejarnos de los pensamientos negativos o preocupantes con otros pensamientos nos servirá para evitar caer en la frustración y la desesperanza.

Cuando voy a dormir por las noches y empiezo a dar vueltas a un problema o algo que me preocupa, «obligo» a mi mente a «evadirse» a un futuro posible y más optimista. Pongo algunos ejemplos:

– Me visualizo dando una conferencia donde el público me aplaude con clamor.
– Me veo presentando mi libro y disfrutando del momento.
– Me imagino consiguiendo algunas de las reivindicaciones sociales en las que estoy involucrado.

Mi «truco» no es situarme en algo improbable, como dar un concierto en un estadio abarrotado de gente que me sigue, que es otro de mis sueños, sino hacerlo con algo que es probable que ocurra si me lo propongo. Eso me hace centrarme en algo positivo y optimista y «abandonar momentáneamente» el problema. En la gran mayoría de los casos dejo el problema y me enfrasco en los brazos de Morfeo, como requiere la situación.

Se trata de generar un autocontrol para poder tener «tolerancia a la frustración».

Algunos experimentos de autocontrol demuestran que si obligas a tu cerebro a trasladarse a otra situación más placentera o simplemente a prestar vigilancia focalizada en otra cosa que no es lo que te agobia o preocupa, logras aventajar momentos de desventura y frustración.

La infelicidad de los demás me da gustirrinín

Hay personas a las que les molesta la felicidad a su alrededor. Si ellos se sienten desgraciados o infelices, prefieren que los demás lo sean, así no se sienten inferiores.

A una buena amiga le molesta la felicidad por la mañana de su pareja «hasta cierta hora». Ella dice que es porque tiene un mal despertar. Él ha sabido respetarlo y no demuestra su felicidad hasta pasada una hora prudente en la que a su pareja pueda no molestarla. Eso es amor y respeto.

Una persona que conocí por trabajo me confesó que se siente mejor si los demás tienen desgracias, ya que él considera que tiene muchas desgracias a su alrededor y que acuden a él más desventuras que a cualquier persona en el mundo.

También existen personas que cuando se sienten bien, contentos o felices, desconfían de ese momento y profetizan que pronto va a venir una cosa mala o perderán lo bueno que tienen en ese momento, estando así exentos de cualquier disfrute de ese momento feliz.

Por eso te propongo que seamos felices, solo para fastidiar a aquellos que disfrutan viendo que no lo somos.

A lo largo de mi vida he repetido a muchas personas este «mantra» que a mí me funciona: **«Sé que hay días que no son buenos, que estás jodido, que no quieres sonreír, que parece que todo va mal. En esos días intenta poner algo de música alegre, para bailar y piensa que todo pasará».**

Confundimos placer con plenitud y felicidad

«Yo quiero alcanzar la felicidad» (como si esta estuviera «al alcance» sólo por hacer algo).

Esta frase, repetida en nuestra sociedad, **«alcanzar la felicidad»**, logra confundir términos y conceptos claves para entender nuestra existencia.

Algunas **reflexiones sobre la felicidad:**

➤ Si la felicidad es un **«estado emocional»**, ¿puede perdurar en el tiempo o es fugaz y finita en la duración?
➤ Si la felicidad es un objetivo en nuestra vida, ¿por qué no nos dedicamos en cuerpo y alma todos los días para conseguirla?
➤ Si ser feliz es lo mejor que podemos conseguir, ¿qué impide que lo logremos?

Es por ello por lo que debemos reflexionar sobre algunos conceptos que se confunden con felicidad.

El placer es ese estado momentáneo que se produce cuando disfrutamos con algo que hacemos o sentimos. Muchos ejemplos, como mantener relaciones sexuales o disfrutar de una comida (para algunas personas casi al mismo nivel de intensidad), podrían explicar ese estado placentero. Cuando el objetivo de comer bien o tener sexo constantemente se convierte en una obsesión es cuando nos podemos frustrar. Eso no es felicidad.

La plenitud sobreviene cuando alcanzamos un estado de satisfacción con nosotros mismos y con lo que hacemos. Disfrutar con unas tareas en el trabajo, con un proyecto personal, con un momento decisivo en nuestra vida, hace que nos sintamos plenos. Es posible que la **plenitud** y la **felicidad** compartan muchos vínculos, aunque no son exactamente lo mismo.

A veces la plenitud tiene que ver con nuestra seguridad y comodidad, y no tanto con nuestro estado emocional. Un ejemplo es cuando permanecemos en un trabajo que no nos gusta o incluso aborrecemos, pero el resto de las cosas funcionan bien (pareja, familia, amistades...), entonces nos consideranos plenos, porque **«casi todo»** funciona bien en nuestra vida, aunque no podemos ser felices porque una de nuestras **«patas fundamentales»** (añadir pareja, familia o amistades o sustituir la del trabajo por alguna de estas que fuera mal) no funciona.

Estamos condicionados diariamente por el placer. Por eso miramos obsesivamente nuestro *smartphone* y las redes sociales buscando una **«recompensa»** que nos produzca placer momentáneo, como recibir *likes* o comentarios. Lo que toda la vida se ha llamado **reconocimiento social**, pero esta vez de manera instantánea e inmediata, es lo que nos convierte en personas mucho más impacientes.

Por esto la **plenitud y felicidad** la confundimos con **placer**, siendo este último temporal y de corta duración, mientras que la plenitud y felicidad tiene que ver más con un estado emocional a largo plazo.

Cosas prácticas para desdramatizar en nuestra vida diaria: Los minidramas cotidianos

¿Cómo podemos llevar la desdramatización a nuestra vida diaria? Comenzando por las pequeñas cosas; aquello que, como la tortura medieval de la gota cayendo en nuestra cabeza constantemente, nos molesta un poquito todos los días, pero que, si se repite constantemente durante mucho tiempo, puede llegar a dejarnos heridas graves.

¿Qué tal si pruebas a hacer un listado con aquellas cosas, pequeñas o grandes, que nos frustran, enojan, nos hacen sufrir, nos ponen de mal humor o nos sitúan en un estado negativo?

Ese listado debe ser vivo y rellenarse durante varios días o semanas. Debemos poner aquello que nos sitúa en una situación de derrota y pesimismo.

Voy a poner unos cuantos ejemplos de mi vida personal de cosas que me frustran o enfadan para ilustrar lo que digo:

— Cuando me dejo la tapa del cuarto de baño levantada y mi mujer y mi hija se enojan y me regañan cuando yo pienso que no es para tanto.
— Cuando llego tarde a algún sitio por tener que esperar a una persona en la cita anterior.
— Cuando alguien a quien no le otorgo autoridad sobre mí en un contexto intenta corregirme.
— En general, cualquier persona que me mande o tome decisiones sobre mi vida. Una de las razones por las que me hice empresario.

Tengo algunas más. ¿Cuál es tu listado?

Y después ¿qué hacemos con ello? Si ya tienes identificado lo que te cabrea, puedes dejarlo estar o tomar decisiones. Se trata de conectar con los pensamientos, que no es más que empatizar con el ser humano de al lado.

De nuevo volvamos a lo que me ocurre con otras personas para ponerle «solución» o pasarlo por el filtro de la **desdramatización:**

➤ Es normal que se enfaden cuando dejo la tapa del cuarto de baño levantada. No les gusta, les resulta incómodo, y, además, si no se fijan, se produce un efecto de caída de culo inesperada. Debo intentar no dejarme la tapa abierta, y si lo hago involuntariamente, no enfadarme por el chaparrón.

➤ Si alguien se retrasa sin intención y se disculpa, debo ser benévolo con la situación. A mí también me puede pasar, y forma parte de la vida. Si se repite la situación con la misma persona, le haré conocer mi inconformidad con la situación y que no me gustaría que se repitiese. Si esa persona es comprensible, lo entenderá.

➤ Debo aceptar que algunas personas sean adictas a corregir a los demás, incluso desde muy tierna edad. Si les digo que lo entiendo pero que no me gusta ser corregido, quizás lo aceptan. Si persisten en su actitud, las ignoraré educadamente.

➤ Dar órdenes e instrucciones es connatural al ser humano, debo aceptarlo. Algunas personas ejercen su personalidad con dosis de autoridad. Si no se extralimita, debo aceptar la situación, incluso como aprendizaje. Ignorar las órdenes que no tienen potestad sobre mi forma de actuar es otra posibilidad.

Comprender las razones por las que el otro hace algo que nos enfada nos da la posibilidad de acercarnos a esa persona. Se trata de poder alcanzar unos hábitos de **comprensión y aceptación** que nos alejen del **enfado o ira.**

¿Te atreves a practicarlo?

Tocar fondo

En algún momento de nuestra vida, en situaciones concretas, podemos «**tocar fondo**». Se trata de una **renovación** para cambiar o modificar algo que nos estaba haciendo daño.

O bien cambiamos o bien aceptamos que debemos hacer una variación del rumbo.

Quizás estábamos luchando para cambiar algo, pero no lo lográbamos. Cuando aceptamos que eso se puede cambiar, o no se puede, es cuando podemos decidir tomar otro camino diferente.

Eso puede ocurrir de manera inconsciente.

He hablado con muchas personas que me han dicho que «tocaron fondo». Cuando les escucho atentamente me surgen las dudas. ¿Seguro que tocan fondo? ¿O es lo que creen cuando lo ven desde la posición y el alejamiento en el tiempo de lo que les pasó? ¿Fueron conscientes de haber tocado fondo cuando pensaban que lo estaban haciendo? ¿Podían haber seguido cayendo pero lo cambiaron?

Una psicóloga me dijo que llega un momento en el que la **curva de la ansiedad** no sube más y que empieza a descender, y a veces esto ocurre de manera inconsciente. Cuando creemos que «no podemos más» o bien «sí podemos aguantar más» es cuando empezamos a encontrar formas de solucionarlo.

Entonces ¿se puede tomar la decisión **inconsciente** de desdramatizar cuando se acumulan las adversidades en un periodo de tiempo? Se trataría de un pensamiento que surge en nuestro cerebro y que nos dice: «ya no pueden pasar más cosas malas, así que para qué preocuparse», o bien otro pensamiento parecido que sería: «la siguiente cosa mala que me ocurra es una más, así que aceptémoslo». Se trataría de un **clic**, un detonante que nos hace reaccionar.

Todos tenemos miedo

Esto puede parecer un axioma o una verdad irrefutable.

Nuestros miedos pueden ver con muchas cosas:

— Miedo a perder cosas (dinero, propiedades…).
— Miedo a perder un trabajo (o a no conseguir uno).
— Miedo a perder a un familiar, un amigo o alguien cercano.
— Miedo a no ser amado, o correspondido.
— Miedo a no dar la talla.

- Miedo al ridículo.
- Miedo a no ser aceptado.
- Miedo a la muerte.
- Miedo al dolor.
- Miedo al sufrimiento...

Forma parte de la naturaleza humana sentir miedo (incluso del animal). Y es incluso beneficiosa para no ser un «temerario». El miedo nos activa, pero también nos puede bloquear.

El «miedo tóxico» es aquel que nos sobreviene con cosas que **aún no han pasado.** Eso nos convierte en **seres sufrientes.**

Aceptamos el sufrimiento diario y cotidiano porque tenemos miedo a perder algo.

¿Qué pasaría si no tuviéramos miedo de perder algo y pensáramos que después de una pérdida puede venir algo mejor?

Poder experimentar esta sensación no anula completamente el miedo, pero puede minimizarlo tanto que nos ayuda a dejar de sufrir y a tomar «decisiones sin miedo».

La pequeñez de tu universo

Si lo piensas y te informas, la inmensidad del universo equivale a que **tú** eres un grano de arena entre millones de playas gigantes.

Como dice **Emilio Duro**, «el universo no se confabula contra ti ni te envía marrones».

Pensar que somos parte de algo, como el universo, aunque sea desde nuestra pequeñez, puede permitirnos relativizar lo que nos pasa.

Dice el **dalái lama** que «cuando empiezas a reírte del problema es cuando empiezas a superarlo». A mí me funciona en muchas ocasiones, y me siento mejor cuando lo hago.

Victor Frankl, en su extraordinario libro *El hombre en busca de sentido,* habla de «asumir la realidad», afirmando que «los que no asumen la realidad **sufren el doble**». Por eso lo primero es aceptar nuestra realidad y luego poder reírnos de ella, de nuestra desgracia, para mitigar el dolor.

Cuando eres niño todo es más sencillo

La vida en la niñez es mucho más sencilla. Juegas, experimentas y te diviertes. Obedeces a tus padres, sacas adelante tus estudios y sigues jugando. Sin grandes preocupaciones o problemas (hay excepciones de traumas infantiles que no vamos a tratar aquí).

Llega un momento de tu infancia en que ansías ser mayor para «poder hacer». Quieres experimentar algo que ves que solo pueden hacer los adultos. Crees que eso es vivir.

Cuando pasas a la edad adulta (estoy en ello, sigo intentando llegar) te das cuenta de que la vida es más difícil y dura. Ya no hay tanta diversión. Trabajas duro y luchas por «tener» cosas, experiencias, dinero, propiedades… Nunca es suficiente. Y algunas personas experimentan la sensación de que son las «cosas las que las tienen a ella».

Es entonces cuando suspiras con un pensamiento que te recorre todo el cuerpo y te dices a ti mismo/a: «¡¡Lo que daría por volver a ser un/a niño/a!!».

Ahí va una «pregunta poderosa»: ¿es posible recuperar las sensaciones de nuestra infancia despreocupada? La posibilidad de ser otra vez como niños, encontrando la forma de jugar, divertirse, experimentar sin miedo al error o al fracaso, y sobre todo de manera despreocupada.

Cuando en nuestra vida de adultos nos comportamos como niños, estamos recuperando nuestro ser. Ese es el camino para hacer una vida más «fácil».

Cuando estudiamos, nadie nos explica cómo tener una «vida fácil», ni siquiera existe esa expresión en los aprendizajes. Todo es duro, difícil, complicado, requiere mucho esfuerzo y sacrifico, para que podamos alcanzar los objetivos en nuestra vida. Esto hace que nos frustremos y nos decepcionemos en ocasiones.

Poder experimentar la vida como un niño nos hace fuertes y enérgicos. Nos hace sentir que podemos ser nosotros mismos. Sin tener que fingir, sin esperar nada, sin buscar con ansiedad. Simplemente jugando y divirtiéndonos. Esa «vida fácil» está al alcance de todos. Tú la puedes experimentar si tienes la actitud adecuada.

Un sabio, del que no recuerdo el nombre, dijo lo siguiente: **«Cuando perdemos la infancia perdemos parte de nuestra vida».**

En nuestra infancia se asienta todo lo que vamos a ser en la vida.

Según los médicos y enfermeras que atienden a los enfermos terminales, cuando se acerca el momento de morimos, recuperamos la postura fetal y los recuerdos de infancia.

¿Por qué queremos abandonar la infancia?

Personalmente, la echo mucho de menos y la necesito. Por eso soy un niño mayor, y me comporto como un niño en muchas ocasiones. Dejándome sorprender por lo que ocurre en mi vida, bromeando y jugando constantemente. Pruébalo. Es liberador.

Quiero mantener mi corazón de niño, saber jugar, tener sentido del humor, divertirme con lo que hago y poder disfrutar.

El corazón del niño no se puede aplastar o ahogar.

¿Dejas sacar a tu niño interior? ¿Dejas que se divierta y juegue? ¿Hablas con ese niño? ¿Le dejas que salga?

Estoy convencido de que todos tenemos ese niño, que podemos recuperarlo y dejarlo que salga a la luz, y que todo el mundo lo vea. Sin vergüenza. Sin importar lo que dirán los demás. Sin miedo a equivocarse o a ser juzgado.

La diferencia entre lo que decimos a los niños y lo que hacemos los adultos

Cuando nuestros padres nos decían «eso no es nada» cuando nos heríamos jugando, o «no pasa nada» cuando creíamos que lo que nos había pasado era muy grave (perder algo, por ejemplo), o «lo habrá hecho/dicho sin querer» cuando otro niño nos ofendía o decía algo que nos hacía sentir mal o humillados, nos estaban enseñando a **DESDRAMATIZAR.**

¿Por qué ya no valen estas técnicas como adultos? Porque **no nos lo creemos.** Vivimos descreídos. Estamos atentos a la ofensa del otro, y más si lo hace públicamente delante de otras personas. Nos sentimos obligados a defendernos, a defender nuestra **honra,** para demostrar a los demás que no somos débiles, para que no se aprovechen de nosotros. Si dejas pasar una supuesta ofensa, siempre habrá alguien que te susurre cosas como:

- **¿No vas a hacer/decir nada después de lo que te ha dicho?**
- **¿Pero cómo permites que te haga o diga eso?**
- **Si yo fuera tú, le pondría en su sitio.**

Como hemos comentado anteriormente, el refranero español a veces nos inclina a tendencias para no «olvidar lo sucedido» como aquel que dice «**a quien hierro mata a hierro muere**», que genera una sensación de venganza frente a cualquiera que creemos nos ha ofendido. Esa sed de venganza es la que impide «dejar pasar» las cosas y genera resentimiento y rencor.

Constantemente bombardeamos a nuestro cerebro con un «**sí** que pasa, no lo dejes pasar, reacciona, defiéndete, agrede tú también».

La opción que escogemos normalmente es dramatizar e incluso teatralizar nuestra actitud para demostrar algo: ser fuertes, dar pena, exagerar el daño para esperar compensación…

Más que dramatizar, **sobredramatizamos.** Exageramos en muchas ocasiones para conseguir un impacto en los demás, que nos vean como personas fuertes y seguras de sí mismas, o como víctimas que deben ser recompensadas de alguna manera.

Vivir despreocupados

Como he dicho anteriormente, cuando era niño, y en gran parte de mi juventud, no tenía grandes responsabilidades y vivía despreocupado. Observo desde la distancia que era más feliz comparativamente con la etapa de responsabilidades de adulto. Estaba más pendiente de mí mismo, de impresionar a las chicas y a mis amigos.

La responsabilidad de la edad adulta ha generado «peso» en mi «mochila».

Por eso decidí rescatar esa **actitud despreocupada** desde la responsabilidad de mi edad, lo que supuso un gran **reto** para mí. Se trataba de «vivir despreocupado» manteniéndome ocupado.

El concepto de «vivir despreocupado» no significa «pasar de todo». Desdramatizar no es «pasotismo». Se trata de vivir el momento y estar centrado en lo que se vive. No en el futuro o en el pasado.

Se trata de ser «joven» con la mente despreocupada, desde la madurez de ser responsable y ocuparme de los asuntos del tiempo presente.

En mi vida he ido descubriendo que he sorteado las dificultades **ocupándome** de ellas, no realizando la **pre-ocupación**, que significa antes de ocuparse. Y cuando he podido, me he reído de mis errores en el mismo momento en que los cometía, o, como mucho, poco tiempo después, sin darles importancia.

La mayoría de nuestros sufrimientos vienen de nuestro **«diálogo interno»**, que es aquello que nos decimos a nosotros mismos (no vales, no puedes, no lo vas a lograr…). Yo lo llamo tener la **«radio encendida»**, donde solo escuchamos una emisora: **«Radio YO FM»**.

Nuestra manera de **sentir y hablarnos a nosotros mismos** diseña la vida que vivimos.

Cuando era jovencito no me atrevía a decir a las chicas que me gustaban por miedo al rechazo. Mi «radio interior» me decía: «Te va a decir que la dejes en paz», «te vas a poner en ridículo», «tus amigos se van a reír de ti». ¡¡Cuantas oportunidades perdidas!! Hasta que, vistos los resultados (no me comía un colín), decidí hacer «cosas diferentes para que ocurran cosas diferentes» y ¡¡cambié radicalmente de estrategia!! A cualquier chica con la que me parecía que «conectábamos» le abría mi corazón y confesaba mis sentimientos. No te lo voy a ocultar: fueron muchos rechazos, pero encontré el «acierto». Después de más de veinte años de pareja estoy convencido de que mereció la pena.

Si nos «despreocupamos», se entiende que dejamos de anticiparnos a la ocupación y realmente afrontamos los problemas en el momento que se producen, **ocupándonos** de ellos.

Aprendemos a sufrir

Dice **María Jesús Álava**, psicóloga prestigiosa, en su libro *La inutilidad del sufrimiento,* que «desde pequeños aprendemos a sufrir». Nuestros padres sufren por lo que nos pasa de niños, y nosotros los vemos sufrir a ellos y aprendemos a sufrir por las cosas que nos pasan. Y ese comportamiento lo repetimos con nuestros hijos.

Me pasó una cosa curiosa con un padre que miraba a su hijo de cinco años con ternura cómo estaba jugando y que lanzó una frase sentenciadora: «Pobrecito, pronto le tocará sufrir».

¡¡¿Qué está pasando?!! ¡¡Nos encanta sufrir!! ¡¡No podemos evitarlo!! Frases como «esto es lo que hay», «esto es lo que toca», son comportamientos de **resignación.**

El mito de la necesidad de sufrir para triunfar

Las historias de personajes que después de grandes sufrimientos han obtenido recompensas abundan por toda la literatura mundial y sobre todo en los cuentos:

- *El patito feo,* en el cual se burlaban porque era diferente, sufre el desprecio de los de su especie y al final se convierte en cisne, como alguien único y bello.
- *Pinocho,* el niño de madera que después de miles de calamidades se convierte en un niño de carne y hueso

Especialmente, la factoría **Disney** se ha hecho popular por contar historias donde la desgracia y el sufrimiento formaban parte de una fase para alcanzar la plenitud. ¡¡Pero ¿qué les pasa a los guionistas de Disney?!! ¡¡¿Qué problema de autoestima tienen?!!

- **Blancanieves** es perseguida por la bruja y al final muere para conseguir volver a la vida tras un beso de un príncipe.

- En *El rey león,* el hermano de Mufasa asesina a su propio hermano y culpa de ello a su sobrino Simba (muy de política actual), al que le obliga a huir para purgar su culpa y sobrevivir comiendo bichos para luego obtener la recompensa de la vuelta al trono triunfante.

- **Dumbo** es humillado por sus orejas y ridiculizado en su trabajo en el circo (esto fue precursor del *mobbing* escolar y laboral) hasta que encontró su don para poder sacar el mejor provecho a ese «defecto físico».

- La **Cenicienta** era humillada y maltratada por sus hermanastras y madrastra en un hogar que se puede considerar desestructurado. En una noche especial puede recuperar su dignidad, cómo no, gracias a otro príncipe

- En *Bambi,* la madre muere al principio de la película, y la orfandad supone un crecimiento personal, al parecer.

- En *Lilo y Stitch,* la protagonista Lilo es huérfana de padre y madre desde el principio de la película y tiene que refugiarse en el cariño de un extraterrestre ante las dificultades de su mundo.

¡¡Y esto se puede quedar grabado en el disco duro desde la infancia!!

El sufrimiento para obtener la recompensa, para vencer, para alcanzar el éxito. Este es el mensaje que recibimos de manera constante en la sociedad.

Y no solo de las historias y cuentos, sino también del refranero o de los mitos y mantras creados en torno al éxito y la consecución de objetivos.

¿Cuántas veces hemos escuchado que para conseguir algo tenemos que sufrir?

Nos hemos alimentado y educado en la «cultura del sufrimiento» para alcanzar la felicidad.

Nos gustan las historias de sufrimiento y posterior éxito.

Como, por ejemplo, la de **Nelson Mandela**, que pasó veintisiete años en la cárcel para luego ser presidente de su país. Si le hubieran preguntado a Mandela en medio de su cautiverio si merecería la pena pasar tantos años como preso, temiendo seguramente por su vida cada día, para luego conseguir el reconocimiento de todos, ¿qué creéis que habría dicho? No estoy seguro de que fuera lo siguiente: «Si claro, dejadme aquí encarcelado, que luego vendrá mi recompensa».

O si preguntáramos a los judíos que estuvieron en campos de concentración nazis durante la Segunda Guerra Mundial y luego se les trató como héroes y protagonistas de grandes historias que fueron recreadas en el cine. Cuando estuvieran día tras día esperando si era el último de sus vidas, no creo que pensaran: «Merece la pena; luego seguro que protagonizo una película de Hollywood».

O cuando los supervivientes del accidente de los Andes, famosos por el libro y la película *Viven,* donde, en medio de la tragedia, tuvieron que alimentarse de sus compañeros muertos, dudo mucho que pensaran que después conseguirían el reconocimiento unánime de la lucha por la supervivencia humana. Seguramente tenían miedo y estaban aterrados por las condiciones que les rodeaban.

No creo que nadie elija ser un héroe. Los actos de heroicidad aparecen sin prever quién puede hacerlos o cómo vamos a enfrentarnos a situaciones limite.

Nos encantan las historias de gran dolor con un final exitoso y triunfante. ¿Es necesario sufrir para obtener algo?

Sin duda, las experiencias traumáticas y dolorosas son transformadoras. La reflexión sería si necesariamente tenemos que pasar por ellas para alcanzar un logro mayor.

Sin dudar, afirmó que **NO ES NECESARIO**. El infortunio y el drama aparecerán sin que los busquemos. Cómo nos enfrentemos a esto es algo que seguramente cambiará nuestra vida. Pero tener la creencia de la necesidad de sufrir para lograr algo es un mantra equivocado instalado en el mundo y que puede aliviar al sufriente temporalmente, pero con la trampa horrorosa de que si no llega la recompensa, pueda observar lo pasado como un castigo cargado de culpa.

Leer historias de mejora personal ante el sufrimiento nos puede generar una falsa realidad de que el dolor trae consigo, tarde o temprano, un premio. ¡¡Y esto no es así!! O al menos no siempre, como podemos creer falsamente.

Las historias, los libros o las películas en los que aparecen personajes atormentados que luego salen triunfantes forman parte de la «quinta esencia» del ser humano de tener **esperanza** ante la **tragedia**. Si eso nos ocurre, y al final de una desgracia viene algo bueno, es estupendo. Pero la otra cara de la moneda es la falsa sensación de tener que sufrir para vencer y obtener algo.

Utilizar la técnica del «pensamiento lógico» para la desdramatización

Esta técnica suelo utilizarla en momentos de dudas e incertidumbre ante un pensamiento de sufrimiento sobre algo «malo» que pienso me puede ocurrir. Me hago los siguientes cuestionamientos:

- ¿Esto que creo que me va a ocurrir es «lógico»?
- ¿Qué posibilidades reales tiene de que me ocurra?
- Si ocurre eso que creo que puede pasar, ¿será tan terrible? ¿Qué es lo peor que me puede ocurrir?

Cuando empiezo a pensar en algo negativo sobre mi persona, me hago el siguiente cuestionamiento: ¿esto que creo sobre mí mismo es cierto? Si tengo alguna sospecha que puede que lo sea, entonces paso a la siguiente fase, que es preguntar a terceras personas qué es lo que ven desde fuera y cómo me ven a mí. Les pido que sean honestos y que me den información objetiva, basada en mis comportamientos y no en sus creencias. Si yo creo que soy egoísta, necesito que me digan si creen que lo soy, y que me pongan ejemplos claros y datos reales de cuándo me he comportado egoístamente, no de forma aislada, sino con un patrón de comportamiento repetitivo. Si se cumplen los pronósticos, entonces intento poner remedio lo antes posible, sin perder ni un solo minuto.

Dirigir la atención

Mi buen amigo **Jesús** estaba pasando una mala racha económica. Tiene cuatro hijos y los negocios no le iban bien. Había sido un alto directivo y lo dejó todo para intentar cumplir sus sueños que, por ahora, no había logrado materializar. Cuando los gastos lo agobiaban, tuvo que tomar la decisión de vender su casa para irse de alquiler. Posteriormente tuvo que tomar otra decisión: dejar su casa de alquiler para irse a vivir a otra casa aún más pequeña. Su hija de nueve años, confundida por tanto cambio en tan poco tiempo, le preguntó: «Papa, ¿por qué los demás niños de mi clase con el tiempo van a casas más grandes y nosotros a más pequeñas?». Jesús pudo contener la emoción y le contestó: «Hija, nosotros vamos a una casa más pequeña para tener la fortuna de estar más juntos. Ahora tienes la gran suerte de compartir habitación con tu hermana, y así podéis jugar y dormir por la noche juntas, y no tener miedo. Además, lo importante es que todos estamos bien de salud, tenemos comida y ropa, y seguimos unidos». La gran lección que me dio Jesús es que pudo tener la tentación de explicar la situación tratándola como a un adulto y diciéndole que la vida no es fácil. Jesús vio la ternura de la inocencia de su infancia y decidió «dirigir la atención» hacia **lo importante.** La familia, la unión y su salud, y poder continuar con su vida, era en esos momentos más importante que cualquier «retroceso» económico.

Cuando nos centramos en nuestro drama y le dedicamos toda la consideración, nos hundimos y caemos en la desesperación.

Si en esos momentos dirigiéramos nuestro miramiento, nuestra **plena atención**, a otra cosa, es probable que pudiéramos alejarnos de nuestro problema para luego acercarnos con otro punto de vista.

Cuando queremos dar de comer a un niño pequeño que se resiste, le intentamos dirigir la consideración a otra cosa para que se «distraiga» y conseguir nuestro objetivo, que es introducirle la comida en la boca. Se trata de una «distracción temporal» que hace que el crío esté satisfecho con la situación y se olvide de su trauma con la comida.

Cuando volvamos a tener el foco en nuestro drama, este seguirá allí. Eso es correcto, pero es probable que hayamos cambiado el punto de vista, que nos hayamos relajado distrayéndonos por un instante, que nuestro nivel de ansiedad haya bajado y podamos afrontarlo de otra manera.

Cuando estamos nerviosos y confusos por algo que nos aturde, se hace necesario descansar, incluso dormir, para poder ver el problema desde otro estado de ánimo y con la paz mental que nos proporciona el descanso.

Cuando los niños están «insoportables», intentamos centrar su atención en el **juego.** Jugamos con ellos o les proponemos juegos para «distraerlos». ¿Funciona esto con los adultos? En ocasiones, en mi entorno profesional, cuando estamos en situaciones de tensión, suelo proponer un juego para salir de esa situación confusa, y eso nos ayuda para aclararnos algo más y abandonar la tensión momentáneamente. Si jugamos, nuestra creatividad fluye.

¿Por qué los adultos hemos dejado de jugar? Porque estamos centrados en nuestros dramas y problemas. Por eso cada vez que te sientas confuso y perdido busca a alguien con quien jugar. A ver qué pasa después.

Esta es una conversación real entre un niño de cinco años y un adulto que estaban jugando con unos juguetes de aquel:

NIÑO: Papá, coge el teléfono. Está llamando el señor elefante.

PADRE: ¿Hola? Sí, estamos aquí, en el parque de dinosaurios. Sí, señor elefante, van ganando los carnívoros.

NIÑO: No, papá, gana el avestruz, que corre más. ¡¡Papá, haz el avestruz!!

PADRE: *Cuá, cuá.*

NIÑO: Papá, eso es el ornitorrinco; el avestruz hace *croac, croac.*

Puede parecer algo absurdo y sin sentido, pero visto desde fuera es algo muy hermoso. El padre se adapta a la imaginación del niño, y no hay reglas escritas, ni siquiera de cómo debemos comportarnos. Todo es **improvisación.** ¿No sería maravilloso este tipo de comportamientos en nuestra vida cotidiana de adultos? En ocasiones pensamos que improvisar es hacer algo de una manera precipitada y sin análisis. Puede ser así, pero nos permite desarrollar nuestra imaginación ante problemas o situaciones inesperadas.

Los momentos en los que más me río y disfruto suelen estar relacionados con mi afición por asistir o ver en internet espectáculos de improvisación. Gozo enormemente con los grandes improvisadores, que son capaces de dar una respuesta, aunque sea absurda, a una situación nueva que se les presenta en el escenario. Todos somos capaces de improvisar, pero nos cuesta hacerlo por el «qué dirán» o el «miedo al ridículo».

El «derecho al pataleo»

Todos tenemos derecho a sentirnos mal en alguna ocasión. Ahí funciona maldecir, gritar, romper algo (con cuidado, y que sea tuyo y no de otros), llorar y poder desahogarnos.

Se trata de desfogarnos para no caer en una correlación peligrosa.

Aguantarnos = sufrir.

Para poder establecer esta correlación:

Patalear = desahogarse = descansar.

Cuando lo hayamos hecho, entonces podemos tomar iniciativas para poder levantarnos de la situación dramática. Ya he ejercido mi «derecho al pataleo», que es temporal; ahora toca **reiniciar.**

Contar lo que nos pasa para quitarnos un «peso de encima»

¿Quieres saber mi secreto para sufrir lo menos posible? Es el siguiente: **no tengo muchos secretos.** Suelo contar las cosas que me pasan. Es terapéutico y me ahorro una pasta en psicólogos o psiquiatras (ojo, que los considero necesarios para muchas cosas, incluidos traumas y sufrimientos).

Es como soltar lastre y quitarme peso.

Si algo me preocupa, lo cuento.

Si tengo un problema, lo cuento.

Si me siento de alguna manera especial, lo cuento.

Si algo me ha molestado, lo cuento.

Al contar lo que me pase me siento:

- Escuchado y atendido.
- Importante porque alguien se molesta en escucharme.
- Aliviado al soltarlo.
- Querido por mi escuchante.
- La gran mayoría de las veces comprendido.

Cuando «suelto» mis preocupaciones es como cuando estás malo del estómago y vomitas. Es liberador.

A veces la persona o las personas me ofrecen un punto de vista que no había tenido en cuenta. En ocasiones hasta una solución. Es cuando ocurre la **magia.**

Y si no me gusta lo que me dicen, lo dejo pasar, o bien lo reflexiono por si me sirve. Ese es el pequeño riesgo de contar lo que nos pasa, que quien nos escucha nos diga algo que no nos gusta o nos pueda hacer daño. Para minimizar ese riesgo elige bien a quién le cuentas lo que te pasa. Busca que sea alguien que te quiere y se preocupa por ti. Que sea honesto y que te conozca lo suficiente para poder decirte lo que piensa sin herirte. O bien le solicitas que no quieres que te dé consejos para poder contarle lo que te pasa de manera más liberadora.

Personalmente, me suele gustar mucho contar lo que me pasa a personas diferentes. Con puntos de vista o formas de ver la vida distintas. Me gusta la **diversidad**. En ella encuentro diferentes formas de ver mis problemas. Y eso me encanta. Aunque no me guste lo que pueda escuchar de algunas de ellas, me hace aprender sobre cómo ven los demás mis problemas y cómo los afrontarían ellas según su experiencia de vida y sus vivencias.

Otra cosa que me funciona es contar algo a una persona con la que tengo menos confianza y a la que conozco menos. Le ofrezco algo íntimo y privado, y eso normalmente produce un efecto vinculante que aumenta y refuerza nuestra **confianza**. Es una pasada ver las reacciones de las personas ante una confesión privada. Se enternecen y se abren más a sentirse cercanos a tu persona. Pruébalo. Ganarás más personas cercanas a tu círculo. Es mejor que dar un *like* en una red social.

Tengo algunos amigos que no suelen contar lo que les pasa. Son reservados en sus formas de expresarse. Prefieren no sentirse juzgados por los demás. No quieren «airear» sus problemas porque sienten el riesgo de que los demás opinen o que les digan algo que les desagrada o no quieren escuchar. Mucho de ellos son «seres sufrientes». Como en el anuncio de las hemorroides, «sufren su dolor en silencio». Tienen sus razones para no compartir sus impresiones, y la gran mayoría están basadas en el **miedo**. Yo siempre les intento dar la posibilidad de que lo cuenten. Sin forzarlos. Estando disponible. Y cuando detecto su desazón, lo hago colándome en un resquicio de sus corazones, si me lo permiten, y me funciona haciendo unas preguntas que pueden parecer sencillas y simples pero que tienen un fondo muy potente: **¿Cómo te encuentras? ¿Cómo te sientes?**

Hay una pregunta que solemos utilizar frecuentemente como algo convencional, y que tiene menos potencia, y que tiene una respuesta convencional, y es: **¿Cómo estás?** Y la respuesta para salir del paso es…: **Bien.** Sin más. Para poder continuar con nuestra vida sin ninguna alteración. Para no tener una **conversación poderosa.** Si quieres profundizar más, si quieres interesarte de corazón por esa persona, si te importa su estado de ánimo, entonces debes ser más intenso y preguntar: «**¿Qué te pasa?** Te veo que no estás bien. ¿Cómo te sientes?». Prueba esto y verás como algunas de las personas de tu alrededor se liberan al contártelo y se «quitan un peso de encima». Les estás ayudando a aliviar su carga.

Se trata de interesarnos por los que nos rodean de forma **sincera.** Esto hace que el mundo que te rodea mejore mucho. Y generas **círculos de confianza.** Eso sí, permite a la otra persona que hable sin que le interrumpas, con **escucha activa,** y añadiría que, si es posible, sin juzgarla.

En resumen:

- ➤ Si te encuentras mal o sientes algo que te agobia, **cuéntalo**
- ➤ Si detectas que alguien en tu entorno no se encuentra bien o ves que tiene mala cara y no está pasando un buen rato, pregúntale **¿cómo te sientes?** Pero hazlo de forma **sincera** y con interés real. Dispuesto a escuchar y, si es posible, sin juzgar

Practicando estos hábitos en tu vida y en las de las personas de tu alrededor mejorará muchísimo tu entorno y generarás **vínculos** con los que te rodean.

El valor del tiempo

En una sociedad donde estamos constantemente **preocupándonos,** nuestro valor más escaso no es el dinero, es el **tiempo.**

Disponemos de poco tiempo para la **introspección,** para encontrarnos a nosotros mismos. Y al no conocernos, nos sentimos infelices.

¿Cómo podemos redistribuir nuestro tiempo?

Según un estudio de **IAB Spain,** los españoles (no todos, claro) invertimos nuestro tiempo de media a lo largo del día en lo siguiente:

- 1 hora y 27 minutos al día lo dedicamos al WhatsApp.
- 1 hora y 10 minutos, a Youtube.
- 2 horas y 45 minutos, a redes sociales.

Analiza tu situación personal. Es posible que no sea esta o que sea parecida.

Si a esto le añadimos la televisión y otras distracciones, el panorama puede ser preocupante.

¿Se nos pasa la vida «viendo cómo es la vida de otros»?

¿Te imaginas gran parte de ese tiempo dedicado a ti mismo?

Debemos dedicar tiempo a la persona más importante para nosotros en este mundo: **nosotros mismos.**

La redistribución de nuestro tiempo va a ser clave para poder alcanzar una **vida plena** en la mayoría de las personas.

Solo se vive una vez, así que desdramatiza

En algún momento los problemas vendrán a nuestra vida, eso es lo único cierto. Con ellos aparecerán las emociones de ansiedad, zozobra, angustia, desazón y también pueden ir acompañados de enfado, ira o enajenación.

Las personas que aprendan de estas situaciones como superar la adversidad desde uno mismo, desde el interior, sin depender de terceras personas o de que las circunstancias cambien, serán las que aprendan a desdramatizar para exceder situaciones adversas similares. Poco a poco ganarán la destreza de afrontar cualquier revés desde la desdramatización de la fatalidad. Esta habilidad se va adquiriendo, afrontando interiormente el fracaso y desde la **aceptación** de los problemas y del fracaso que en algún momento nos sobrevendrán.

Según los filósofos griegos, *«errare humanum est»* (errar es de humanos), y, siendo así, **desdramatizar** entonces se acerca a lo divino.

Haz caso a Epicteto

Epicteto fue un filósofo griego de la escuela estoica que estuvo diciendo algunas cosas allá por el año 100 después de Cristo.

Dicen los entendidos que la mayor parte de la sabiduría de la humanidad viene de la **filosofía griega y romana** y que allí están escritas las grandes enseñanzas de la vida.

En este caso he recopilado algunas de las frases de Epicteto que vienen perfectas para este libro.

La primera, que subrayo en negrita, es la que me parece más importante.

No nos perturban las cosas, sino las opiniones que de ellas tenemos. (No es lo malo lo que nos ocurre, sino lo que pensamos sobre lo que nos ocurre).

No pretendas que las cosas ocurran como tú quieres. Desea, más bien, que se produzcan tal como se producen, y serás feliz.

No pidas que las cosas lleguen como tú las deseas, sino deséalas tal como lleguen, y prosperarás siempre.

Acusar a los demás de los infortunios propios es un signo de falta de educación. Acusarse a uno mismo demuestra que la educación ha comenzado.

Si no tienes ganas de ser frustrado jamás en tus deseos, no desees sino aquello que depende de ti.

El infortunio pone a prueba a los amigos y descubre a los enemigos.

La vida es demasiado corta, y tienes cosas importantes que hacer.

Recuerda que debes conducirte en la vida como en un banquete. ¿Un plato ha llegado hasta ti? Extiende tu mano sin ambición, tómalo con modestia. ¿Se aleja? No lo retengas.

Tú puedes ser invencible, si no te enganchas en combate alguno cuya victoria no dependa de ti.

Desdramatizar en el trabajo

Es en este capítulo donde he podido reflejar mis experiencias, observaciones, conversaciones, investigaciones y curiosidades de mis más de veinticinco años como profesional de recursos humanos.

Poder contemplar de cerca cómo muchas personas sufren en su trabajo me ha generado una sensibilidad especial en este asunto.

«Mi cruzada» es clara desde el año 2013. Si soy capaz de que algunas personas puedan dejar de atormentarse en su trabajo y que este no sea una tortura, entonces habré encontrado el «Santo Grial» para todas aquellas personas que sufren en sus tareas laborales.

El **síndrome del domingo por la tarde** afecta a gran parte de la población. ¿Que en qué consiste este síndrome? Tendrás que leer este capítulo para saberlo y también para encontrar el «bálsamo» para curarlo.

Lo dejo

Era un lunes lluvioso y **María** se dirigía a su trabajo en el coche con su misma rutina. La lluvia golpeaba como piedras punzantes que parecían iban hacer estallar los cristales del vehículo. En la radio sonaban las noticias. El tráfico, como cada mañana en la zona, era horroroso. María se tiraba casi más de una hora hasta llegar al trabajo, ya que decidió vivir en las afueras de Madrid para conseguir un poco más de calidad de vida. Mientras su automóvil avanzaba lentamente y la lluvia arreciaba cada vez más, ella suspiraba, sin apenas escuchar el audio de la radio, y su cabeza giraba en pensamientos cada vez más negativos.

Odiaba su trabajo. Detestaba a su jefa y sus modales. Aborrecía perder tanto tiempo en desplazarse hasta el centro de trabajo. Le irritaba tener que echar más horas todos los días y llegar a casa agotada y sin ganas de nada. Acababa de casarse y apenas podía disfrutar de su pareja por el ritmo devastador de su día a día.

Enfrascada en sus pensamientos en su vehículo, **estalló**. Y se dijo a sí misma una frase lapidaria que cambiaría su vida por completo: «**Lo dejo ahora mismo**». Sin dudar, dio la vuelta en cuanto pudo y recorrió el camino de vuelta a su casa. Desde allí, cogió el teléfono rápidamente y llamó a su jefa para comunicarle que dejaba el trabajo y que no volvería más.

Desde ese momento empezó a construir «el resto de su vida». Tras decirle a su pareja lo que había decidido, sin dejarle mucho espacio a la opinión o debate, aunque sí tuvo hueco para el apoyo y la comprensión, María se puso enseguida en marcha.

Decidió que ya no tendría jefas o jefes y que ella misma sería su propia jefa. Empezó a leer, a conversar, o a pedir opinión, a acudir a eventos, y se empezó a formar para hacer su propio proyecto. Y lo consiguió, claro que lo consiguió. Lo sé porque yo fui uno de sus clientes, y esta historia, que no es de ficción, me la contó cuando tuvimos la confianza suficiente.

Hoy María es una feliz madre, cuando antes pensaba que por el ritmo de trabajo nunca podría llegar a serlo, y vive entusiasmada con un proyecto rentable y sobre todo que le entusiasma.

No hay estudios concretos sobre las personas que desean dejar su trabajo cada día.

Sí existen datos que nos pueden llegar a preocupar:

- Según la encuesta de Adecco sobre felicidad en el trabajo, en 2017, más del 23% de las personas no es feliz en su día a día. Eso son muchas personas.
- Un estudio de la Asociación contra el Acoso Psicológico y Moral en el Trabajo, con datos de 2017, concluye que en España un 15% de los trabajadores sufre *mobbing* (acoso laboral) en su entorno laboral.
- Un total de 2.408.700 españoles sufrieron en 2015 depresión, una enfermedad cuya prevalencia está aumentando en el mundo y que en el caso de España representa el 5,2% de la población, según nuevos datos publicados por la Organización Mundial de la Salud (OMS).

¿Alguna vez has pensado en dejar tu trabajo?

¿Has tenido ese momento como María en el que te has dicho «lo dejo ahora mismo»?

¿Hasta cuándo estás dispuesto a soportar una situación agobiante y que puede hacer que caigas enfermo?

Muchas personas están en su trabajo sufriendo el síndrome **de la rana hervida.** ¿Sabes a qué me refiero?

Si buscas en **Wikipedia** el **síndrome de la rana hervida,** encontrarás lo siguiente:

> *El denominado síndrome de la rana hervida es una analogía que se usa para describir el fenómeno ocurrido cuando ante un problema que es progresivamente tan lento que sus daños puedan percibirse como a largo plazo o no percibirse, la falta de conciencia genera que no haya reacciones o que estas sean tan tardías como para evitar o revertir los daños que ya están hechos. La premisa es que, si una rana se pone repentinamente en agua hirviendo, saltará, pero si la rana se pone en agua tibia que luego se lleva a ebullición lentamente, no percibirá el peligro y se cocerá hasta la muerte. La historia se usa a menudo como una metáfora de la incapacidad o falta de voluntad de las personas para reaccionar o ser conscientes de las amenazas siniestras que surgen gradualmente en lugar de hacerlo de repente.*

Aguantar y aguantar hasta el límite, o más allá de ese límite, puede contraer grandes riesgos para la salud, o incluso, como le pasa a la rana, una catástrofe mayor.

Ya, pero tengo que trabajar, tengo que vivir, necesito ingresos.

Por supuesto. El ser humano en la sociedad actual recibe ingresos a través del trabajo. Debe levantarse cada mañana para conseguir su dinero, o como cantaba Donna Summer, «*she works hard for the money*».

Esto implica que debemos hacer un «esfuerzo» para poder vivir o conseguir lo que se ha llamado «calidad de vida» y afrontar tareas o situaciones que son poco o nada agradables, asumiendo que son parte del contrato que hemos realizado con nuestra empresa.

¿Y qué pasa si lo que hacemos no nos entusiasma o nos desagrada en grado máximo?

¿Has visto el vídeo «**Dance for my boss**» que protagoniza **Marina Shifrin?** Te lo recomiendo. Búscalo en Youtube o en cualquier buscador.

Marina trabajaba duro día tras día, y durante muchas noches. Sin apenas fines de semana o tiempo para el ocio. Hasta que un día tomó una decisión importante: *I quit* (lo dejo) y grabó un vídeo de despedida para su jefe.

El vídeo fue tan viral que la entrevistaron en muchas cadenas de televisión y sus más de veinte millones de visualizaciones se convirtieron en un icono de la «toma de decisiones» para afrontar una nueva etapa de vida.

¿Te puedes permitir un trabajo que odias? ¿Dejar atrás un jef@ que detestas? ¿una pareja con la que no quieres estar? ¿una forma de vida que no deseas? Permítete decirte y actuar, al menos una vez en tu vida (o varias), para decir «*I quit*» (lo dejo).

¡¡Cuidado!! ¡No lo dejes todo de golpe (o sí)! Ve alejándote poco a poco de lo que odias y detestas, y acércate a lo que te gusta y te hace sentir bien. Te lo aseguro: ¡¡funciona!!

Mirando en retrospectiva te das cuenta de que es lo mejor que has podido hacer con tu vida.

Muchos estudiosos hablan del **propósito de vida** y el **propósito de trabajo**. Tener una finalidad para hacer algo nos lleva a saltar obstáculos y a gestionar mejor nuestras tareas diarias.

La **motivación** viene de tener «motivos» para hacer cosas. Si no se tiene ningún motivo, es mejor dejar de hacer lo que se está haciendo.

En muchos países se está planteando el **propósito en el trabajo** como algo fundamental para obtener mejores resultados por parte de las compañías, y tener una vida de calidad para las personas, mejorando su salud y bienestar.

En este capítulo te daré algunas soluciones, herramientas y formas de afrontar la situación de zozobra y malestar que provoca estar en un trabajo en el que estamos sufriendo.

Las necesidades básicas en la sociedad actual

En la antigua Grecia quien tenía que ganarse la vida **trabajando** era un esclavo. El trabajo estaba asociado a un estado de esclavitud.

En una sociedad de consumo como la occidental, donde hemos pasado la barrera de las **necesidades básicas,** que expresó **Maslow,** y elevado su listón, ahora nos encontramos con un cambio social de necesidades básicas:

✓ **NECESIDADES BÁSICAS CLÁSICAS**: comida, ropa, vivienda.
✓ **NECESIDADES BÁSICAS DE LA SOCIEDAD ACTUAL**: coche, estudios, sanidad privada, ocio «necesario» (cine, teatro, salir a comer, tomar algo con amigos…), viajar, tecnología (*smartphone*, *tablet*, portátil…)…

¡¡Cómo plantearse no tener un *smartphone*!! ¡¡O no salir a tomar algo algún día o varios días!! ¡¡Tener un ordenador en casa ya no es un lujo, es una necesidad!!

Hemos aumentado el umbral de lo básico y por ello ahora somos más **esclavos.**

Uno de los dramas más importantes a nivel personal es «quedarse sin trabajo»:

✓ El que no trabaja puede ser visto socialmente como un «fracasado», como alguien que no vale. En ocasiones es «apartado» del resto por su situación.

✓ Corre el peligro de no poder acceder a las **necesidades básicas de la sociedad actual:** disfrutar del ocio y tiempo libre «de pago», viajar, comprarse lo último en tecnología punta….

✓ Las personas sin empleo no suelen disfrutar de tener la opción por su situación de «tiempo para sí mismas» para poder hacer cosas que mientras trabajaban no hacían. Suelen sufrir. Se dicen cosas como «se me cae la casa encima»; «estoy desesperada mandando currículums».

¿Qué pasa con aquello de lo que te quejabas por no hacer porque no tenías tiempo?: Pasear, ver a los amigos, la familia, ponerte en forma…, **tener tiempo para ti.**

✓ La mayoría de las personas desempleadas utilizan gran parte del tiempo «sin trabajo» para buscar trabajo. No lo hacen para revisar cosas sobre uno mismo, reflexionar, aumentar el autoconocimiento… o dedicarse tiempo para ellas mismas. Frases como «buscar trabajo es otro trabajo» hacen que entren en una dinámica «destructiva» en la que el fracaso latente es no encontrar otro trabajo enseguida, y, claro, llega la desesperación y el sufrimiento.

Por todo esto que suelo observar a menudo con personas que pierdan su trabajo considero que es importante dedicar momentos de **reflexión** y «paz interior» para ver hacia dónde vamos, qué queremos hacer con nuestra vida a partir de ahora y qué camino podemos escoger.

Darse a uno mismo la posibilidad de elección para ser **seres libres**, dónde elegimos nuestro camino.

Los miedos en el entorno laboral

Durante muchos años he tenido **«conversaciones poderosas»,** que son aquellas que adquieren un significado especial, con muchas personas que tenían **diferentes miedos** en torno al trabajo.

Podría resumir esos miedos en los siguientes:

➣ Miedo a no encontrar empleo cuando estoy en paro.
➣ Miedo a no volver a trabajar si estoy mucho tiempo desempleado o si alcanzo una cierta edad donde el «mercado laboral» no quiera aceptarme.
➣ Miedo a no dar la talla en mi trabajo.
➣ Miedo a que a mi jefe/a no le encaje mi trabajo.
➣ Miedo a ser rechazado en el entorno de trabajo.
➣ Miedo a ser despedido.

Algunos miedos están basados en **fantasmas del pasado,** que son **experiencias traumáticas** vividas en un entorno laboral:

- Haber estado una época de la vida un tiempo desempleado, que nos ha parecido largo.
- Haber realizado muchas entrevistas de trabajo sin haber sido el candidato seleccionado para el puesto.
- Haber tenido conflictos en el trabajo con los responsables o compañeros.
- Haber sido despedido alguna vez o no renovado el contrato.
- No haber encajado en una empresa o en un grupo social en una empresa.

¿Cómo podemos combatir esos miedos? Cada «terror» tiene diferentes respuestas, pero mi experiencia acumulada observando todo tipo de situaciones durante años me dice lo siguiente:

➤ En nuestra carrera profesional vamos a ser inevitablemente despedidos o no será renovado nuestro contrato de trabajo alguna vez en nuestra vida. Vamos a trabajar una media de 35-45 años, de manera continua o discontinua, por lo que en alguna ocasión tendremos la posibilidad de encontrarnos con una situación de finalización de la relación laboral. **Eso no es un fracaso**, sino una circunstancia que nos puede ocurrir a cualquiera. En estos momentos ya le pasa a la gran mayoría de las personas que están trabajando y que han pasado alguna vez por esta situación.

➤ En momentos de desempleo tendremos que afrontar la situación desde el análisis y la reflexión, haciéndonos **preguntas poderosas:**

  ○ ¿Qué quiero hacer a partir de ahora?
  ○ ¿Dónde encajan mejor mis virtudes?
  ○ ¿En qué sitio quiero estar?
  ○ ¿De qué tipo de personas me quiero rodear?
  ○ ¿Con qué tipo de proyectos me quiero comprometer?
  ○ ¿Cómo quiero que sea el equilibrio entre mi vida personal y profesional?

➤ Los entornos de trabajo son **grupos sociales.** En ellos interactuamos y nos relacionamos de diferentes maneras. Existen códigos y culturas diferentes en función de los componentes de cada grupo. «Encajar» o «no encajar» es una circunstancia que podemos trabajar. Si finalmente no ocurre, no debería ser un drama. Es cuestión de encontrar el grupo en el que mejor encajas y tener claras las prioridades. No siempre vamos a encajar con todo el mundo, pero eso no nos hace ser unos fracasados o inadaptados. Cada persona tiene un encaje o adaptación a los grupos, es cuestión de buscarlo y encontrarlo.

> Las personas «mayores de 45 años» tienen una experiencia acumulada que es muy valiosa. Están en su mejor momento de **madurez profesional**. Su «bolsa» de «aciertos-errores» les ayuda a afrontar situaciones diferentes con alternativas de amplias soluciones. Por mi experiencia, muchas personas «sénior» tienen su hueco en empresas que necesitan de este **valor**. En mi vida profesional he llegado a ubicar laboralmente a personas de más de sesenta años en puestos de trabajo, encontrando la empresa que necesita de este tipo de profesionales. ¿Por qué no puedes ser tú uno de esos profesionales sénior? O, mejor dicho, ¿por qué deberías ser ese profesional sénior que se queda sin trabajo, teniendo todavía años por delante hasta la jubilación, y no lo encuentra?

> Cuando converso con personas que llevan «mucho tiempo» (¿cuánto es mucho tiempo?) desempleados y se sienten desesperados, mi primera misión, la más importante, es **escuchar atentamente sin interrumpir**. La gran mayoría necesita **desahogarse**, necesita ser escuchada, necesita quitarse «su mierda» de encima. Si veo que entran en una espiral negativa con frases como «nadie quiere contratarme», «ya no voy a poder trabajar», «estoy desesperado», «no puedo más»…, entonces les invito a reflexionar haciéndoles **preguntas poderosas.**

○ ¿Qué pasó antes de tu anterior trabajo? ¿Por qué te contrataron?

○ ¿Cuáles son tus virtudes como trabajador? ¿Las has puesto en un papel y las has interiorizado?

○ ¿Crees que eres la única persona que está desempleada durante equis tiempo?

Es entonces cuando me pongo a hacer un **plan de choque** con estas personas y les pongo «deberes». Algunas de las herramientas son estas:

– Prepara un **análisis de autoconocimiento** en el que pongas por escrito tus **fortalezas y virtudes** y lo expliques con ejemplos de cómo actuaste en tus anteriores trabajos.

- Empieza a solicitar **ayuda** a todos tus contactos personales y profesionales. Algunos, quizás muchos, no te ayudarán, porque no pueden o no quieren. No se lo tengas en cuenta. Pero algunos otros sí lo harán y es posible que encuentres una oportunidad.
- ¿Estás haciendo todo lo posible para encontrar empleo? ¿Puedes hacer algo más? Hay que hacer un análisis de a qué sitios envías el CV, qué tipo de páginas profesionales manejas, si has enviado candidaturas espontáneas a empresas en las que crees que puedes encajar, si tienes toda la información a dónde puedes enviar tu CV, etc.
- Análisis del CV. ¿Qué puedes mejorar? ¿Qué formato estás siguiendo? ¿Qué tipo de información estás transmitiendo? En este caso, existen tutoriales y páginas en internet que nos pueden ayudar.
- ¿Te planteas otras alternativas? Ser autónomo y ofrecer mi experiencia a varias empresas. Montar un proyecto emprendedor, aceptar un trabajo a tiempo parcial, buscar trabajo en otra localización geográfica...

Analizar la situación y poder ponerte en marcha para buscar trabajo es una parte fundamental para conseguir un nuevo trabajo.

Cada experiencia personal es distinta y no replicable. Cada camino al **éxito laboral** es distinto. Debemos encontrar nuestro propio camino. Poder alejarnos de los «hechos traumáticos» y distanciarnos emocionalmente puede ayudarnos a detectar nuevas vías de **éxito profesional.**

«The company man»

Al ver por primera vez la película **The Company Man** (ya la ha visto en más de diez ocasiones) me quedé muy impresionado porque vi reflejadas muchas de las actitudes y comportamientos que había observado en el entorno laboral en muchas personas.

Aunque hay que desligar las circunstancias culturales del formato de trabajo en Estados Unidos (despido libre, forma de vida basado en el éxito económico y profesional, prestigio profesional...), algunas de las cosas que se tratan en esta película son de especial interés, y puede que te toque vivirlas alguna vez en tu vida profesional.

Te recomiendo que veas la película, aunque si quieres, aquí puedes encontrar algunas de las claves que hay en ella.

El argumento es el siguiente:

Tres hombres intentan sobrevivir durante un año en el que su compañía sufre una gran reestructuración. Las personas que abandonan la compañía pasarán por diferentes etapas en función de su vivencia personal y sus circunstancias. Cada uno de los protagonistas y su entorno cercano van evolucionando en función de cómo asumen y aceptan lo que les sobreviene encima tras el despido. Pérdida de casa, de prestigio, de autoestima, hacen que las diferentes personas tomen decisiones en función de sus sensaciones y estado de ánimo.

Las enseñanzas de esta película sobre cómo se sienten y actúan los personajes ante un despido de la compañía, en la que llevaban un tiempo considerable, nos muestran las diferentes formas de actuar de los seres humanos ante un hecho que puede ser tan traumático como la pérdida del trabajo.

La dureza de encarar el despido. Pensar constantemente en los motivos, sentirte culpable, analizar qué podías haber hecho o dejado de hacer para que esto no se produjera, la comunicación a la familia y los amigos, el día posterior y los siguientes sintiéndote extraño, la ansiedad por pasar los días y que no consigas otro trabajo, establecer un plan de «economía de guerra» por si se alarga la situación y, en definitiva, el **miedo** al «qué va a pasar» a partir de ese momento. Todo esto lo he visto y observado en personas que pasan por diferentes etapas.

Hay una frase de uno de los protagonistas que es muy ilustrativa de la soledad que siente la persona que tiene que pasar por esta situación: «¿Sabes lo peor de todo? Que el mundo sigue. Parece como si nada importara». Esta desoladora forma de sentirse te aparta del resto del mundo. Muchas personas sienten el vacío y la soledad del que es un «fracasado» por no tener empleo.

La frustración del paso del tiempo cuando estás en búsqueda de trabajo. De ver que no te llaman, o que se dilata la respuesta de una oferta de empleo o entrevista realizada (algunas personas han llegado a llamar a su compañía de teléfono para ver si tenían el teléfono operativo). Esto puede llegar a desesperar.

La falta de respuesta de los que considerabas amigos o conocidos. La frase «lo siento» que te suena hueca porque no le encuentras el sentido. El deterioro físico que se produce en algunas personas por la preocupación. Todo ello hace mella en nuestra salud física y emocional.

En uno de los momentos de zozobra de uno de los protagonistas de la película, llega a pedir perdón a su pareja por haberle fallado, por haber fracasado. Ese sentimiento de «culpabilidad» solo lo pueden experimentar las personas que viven esta situación, y te aseguro que no es agradable.

El protagonista de la película consigue un trabajo con antiguos empleados de la empresa de la que fue despedido. Al iniciar el proyecto, con menos medios, la frase final del protagonista, con el que finaliza la película, es para reflexionar: «¿Qué es lo peor que puede pasar? Que nos despidan». Está reflejando el aprendizaje por la situación de agobio que ha pasado.

Tuve la suerte de trabajar dando servicio a uno de los mayores laboratorios fotográficos de España, **Ros Fotocolor**. En sus momentos más álgidos tenía casi la totalidad del mercado de revelado de fotografía a nivel nacional. La aparición de las cámaras digitales y los teléfonos móviles con cámara terminaron por hundir un negocio que daba trabajo a millares de personas, directa e indirectamente. Tras la liquidación de la sociedad me mantuve en contacto (aún lo estoy, ya que los considero amigos) con algunas de las personas con las que hacía negocios en los momentos de más auge. Mi buen amigo Luis, antiguo director de Recursos Humanos, me dijo un día, después de haber cerrado la empresa: «Ángel, ¿quieres ver el laboratorio como ha quedado?». Yo sabía que estaba abandonado y le dije que sí tenía curiosidad. Fue desolador observar cómo el abandono y el deterioro de aquello que había visto lleno de vida, de personas trabajando a un ritmo frenético, había quedado en un absoluto «desierto». Fue tal mi impresión que decidí no volver más por esa zona (cuando tengo que pasar cerca de allí, intento dar un rodeo para no ver el edificio). Afortunadamente, la totalidad de las personas, de una manera u otra, rehicieron su vida, manteniendo el recuerdo de los buenos tiempos vividos en una empresa que tenía «alma».

¿Por qué aguantamos actitudes agresivas en el trabajo?

Voy a dar algunos datos sobre la ansiedad y el uso de medicamentos para combatirla.

- Según la Agencia Española de Medicamentos, el consumo de ansiolíticos se ha incrementado en los últimos años un **57%**. En el caso del uso de antidepresivos, la cifra en la última década se triplica (**x3**).
- En el año 2016 se realizó una encuesta en la que el **24,8%** de los encuestados estaba en la franja de entre 35 y 65 años y declaraba haber consumido este tipo de medicamentos alguna vez.
- Las estadísticas marcan que un **68%** del uso de estos fármacos tiene por causa el trabajo de manera directa o indirecta. En Europa hay 40 millones de afectados, lo que nos cuesta 20.000 millones de euros a los países.
- España es el país con más estrés laboral. El 30% de bajas por estrés ya es la tercera causa de baja por IT y hay estudios que afirman que en cinco años será la primera.
- Y un último dato escalofriante: el 15% de los trabajadores ha sufrido acoso laboral el último año.

Quiero introducir el concepto de **«contaminación social»** que ha trabajado mi querida y respetada profesora **Nuria Chinchilla**, profesora del IESE y miembro de la Comisión Nacional para la Racionalización de los Horarios en España, a la que también pertenezco y donde hemos coincidido en congresos y eventos. Se basa en la deshumanización que se produce en las empresas tratando a las personas como un engranaje de una maquinaria, que además es acentuada por la mala praxis de algunos líderes empresariales que utilizan a las personas y crean entornos «tóxicos».

Mi buen amigo **Gonzalo** experimentó esta «contaminación». Y además tuvo la valentía de compartir en una «charla magistral» su vivencia personal sobre su evolución en temas de estrés y ansiedad en su trabajo que afectó a su vida.

Una vez un empleado que llevaba más de quince años en una empresa comenzó a tener estrés derivado de distintas situaciones laborales. Dolores estomacales, agobio, cansancio, dolor de cabeza... El estrés había llegado.

La continuidad de las causas no cesó y esta persona empezó a tener ansiedad. Se sentía agobiado, con opresión en el pecho y ahogos. ¿Qué hizo en aquel momento? Comenzó a medicarse para paliar síntomas.

Como las circunstancias no variaban, aparecieron vértigos por estrés, mareos, sensación e inestabilidad, vómitos... Y nueva pastilla para los vértigos.

Pero la cosa no acaba ahí. Dificultad de conciliar sueño, apatía, cansancio extremo, trastornos alimentarios... anunciaban el inicio de una depresión. ¿Y qué sumaba este elemento? Una nueva pastilla que incorporar.

Para finalizar la implacable escalada, llegó un proceso de ciclotimia emocional que derivó en una patología más seria: trastorno bipolar. Días de subidón máximo y, sin tiempo de reacción, días de bajón profundo. Del estrés al trastorno bipolar en dos años.

¡Pues sí! Tengo un trastorno bipolar. Aún nadie me ha conseguido explicar si fue que la situación de estrés y ansiedad prolongada generó el trastorno o que un trastorno latente fue aflorado por la situación de estrés y ansiedad sostenida.

El caso es que llegó, y ahora, ya bajo control, puedo hacer uso de la mítica frase que dice «odio ser bipolar, es la cosa más maravillosa del mundo»... **Y en este tiempo empecé a preguntar quiénes son los responsables.**

Y me centré en dos pilares. Yo, víctima.

El otro fue mi propia empresa. Porque cuando preguntamos los retos de las organizaciones, únicamente hablamos de la transformación digital, eficiencia operativa, gestión de la diversidad generacional..., y no hay retos específicos orientados a cuidar la salud emocional de sus trabajadores.

Pero luego vi que había un tercer factor en el cual no había reparado. Y me dije: ¿Y yo? No como afectado, sino en el otro lado de la mesa. ¿Cuántas de mis acciones han generado impacto emocional negativo en mis colaboradores? ¿Y en mis compañeros? ¿Y en mis jefes? ¿Y en mi familia? Y vosotros/as, ¿os lo habéis planteado? Tal vez sea el momento de hacerlo. Tal vez sea la ocasión para hacer una profunda reflexión acerca de qué hacemos cada uno de nosotros y nosotras para ser una gota de agua que se añade al vaso ya casi lleno de elementos generadores de estrés.

A veces observo que el entorno laboral y el personal son muy diferentes para algunas personas, que se comportan de manera distinta.

Cuando me preguntan cómo me suelo comportar en el trabajo, mi respuesta es que lo hago de la misma manera durante todo el día. Si me comportara de manera distinta, creo que podría tener «doble personalidad». En ocasiones creo que algunas personas la tienen.

La forma de comportarse es independiente del entorno. Lo que cambian son los códigos, pero tu **actitud** debería ser siempre la misma. Respetando las claves y normas que tengan los diferentes grupos o ambientes.

En el entorno laboral he advertido que se permiten ciertos comportamientos que serían inadmisibles (incluso denunciables) en otras circunstancias. Me refiero a:

- **Faltas de consideración.** De los/as jefes a los subordinados o incluso de compañeros/as.
- **Ataques verbales y agresividad.** Rayando incluso lo intolerable, o a veces superándolo.
- **Acoso.** Aquello que ahora denominamos *mobbing* y que en la edad infantil denominamos «acoso escolar».
- **Desconsideraciones y ninguneos.** Que en cualquier otro entorno minimizamos su importancia, pero que algunas personas lo engrandecen en el entorno laboral.

Algunos de estos comportamientos deberían ser «clasificados» en función de las personas que lo realizan.

He analizado esta cuestión con diferentes tipos de perfiles psicológicos que suelen incurrir en estos actos deleznables. Algunos expertos en psicología afirman que estas personas pueden tener las siguientes patologías:

- **Psicópatas.** Personas perturbadas que se dedican a fastidiar a los demás. Es frecuente que lo hagan porque sus circunstancias personales son «patéticas» y es una manera de desahogarse con los demás. Si ejercen cierto «poder» sobre las personas, lo utilizan de manera despótica y agresiva. También coincide con personas que fueron humilladas en alguna etapa de su vida y es ahora cuando establecen una «venganza» con el mundo. Suelen aprovecharse de los más débiles o personas que no les hacen frente. La medicina contra estas personas es plantarles cara y no mostrarles miedo. Como algunos animales, «olisquean» el temor y eso les hace crecerse. No se lo permitas.

- **Sádicas.** Son aquellas personas que disfrutan haciendo sufrir a los demás. Si además tienen cierto poder jerárquico, lo ejercen de manera tan despótica que pueden hacer que algunas personas sufran en su autoestima, o por lo menos les genere dudas sobre su valía profesional. Algunos de estos individuos suelen tener problemas personales y por ello derivan toda su ira en el puesto de trabajo. Suelen utilizar malas formas, llegando a la falta de respeto y al desprecio más absoluto. Si encuentran «victimas» débiles, suelen cebarse con ellas, y más si no les hacen frente. Permanecer cerca de estas personas nos disminuye el ánimo y nos puede inundar de «energía negativa», pudiendo pagar con nuestro entorno más cercano esta influencia. La solución es tan sencilla como difícil: aléjate lo más posible de estas personas. Huye, corre, sal pitando, pero no te dejes influir por ellas. Si no puedes evitarlo, intenta no escucharlas y practica el autocontrol para que no te afecten sus palabras. Lo mejor es salir disparado, ya que ejercitar el oído selectivo es bastante complicado.

- **Sociópatas.** Suelen moverse en grupos de personas con mayor frecuencia que individualmente, haciendo daño a diestro y siniestro a su alrededor. Suelen utilizar la mofa y la burla hacia el resto, sobre todo cebándose en las personas que muestran debilidad o falta de respuesta. A veces se disfrazan de «graciosillos» o «chistosos», pero debajo de esa máscara se esconde una maldad acorde con sus verdaderos objetivos, que es causar el mayor daño posible a la persona. Si son compañeros, se les «soporta» bajo la influencia de que solo pretenden hacer daño personal y no laboral, aunque muchas personas sufran en su autoestima por esta actitud. Si tienen poder, las consecuencias son peores, ya que nos hacen sentirnos mal y tenemos **miedo** de responderles por las posibles consecuencias laborales. El «oídos sordos» o la respuesta cortante a tiempo suele funcionar con estos personajes. Lo mejor es ser tajante y dejarles claro que no vas a tolerar su actitud en público.

- **Adictos al trabajo** (*workalcoholic*). Para estas personas el trabajo es su vida. Como bien dice mi admirado **Ignacio Buqueras,** presidente de la **Asociación para la Racionalización de los Horarios en España (ARHOE),** «viven para trabajar». Lo malo no es su actitud, sino que además arrastran a los de alrededor. Si son jefes/as, suelen obligar a sus equipos a que sigan sus horarios, derivándoles hacia el desapego de su vida personal y a que renuncien, por sus hábitos personales, a tener vida propia. Si es alguien que no tiene potestad jerárquica, puede enrarecer el ambiente laboral, ya que el resto de las personas no siguen su horario, y eso puede generar una comparativa frente a los/as jefes/as. En estos casos, depende del buen criterio de los responsables saber si el resto cumple y la persona en cuestión se excede. Suelen ser personas con escasa vida personal, o bien porque no les llena o bien porque su ambición les obliga a desarrollarse personalmente en el entorno laboral. A estas personas hay que hacerles frente directamente exponiéndoles que tú no estás dispuesto a seguir sus hábitos y horarios, ya que el cumplimiento de los resultados no tiene que ver con los horarios. Ser un buen profesional, con la autoestima y el convencimiento de que se cumple con lo requerido en el trabajo, ayuda a afrontar esta situación. Lo importante es hacer frente y, como me dijo una persona de su jefe/as, «educar» en horarios explicando que tu **SÍ** tienes vida personal

Y luego está la otra cara de la moneda. **¿Por qué razones una persona puede aguantar este tipo de comportamientos y a estos personajes?** Estas son las razones que he analizado durante muchos años.

➤ **Miedo a la pérdida del trabajo.** Suele ocurrir cuando esta actitud tóxica viene de un superior hacia un subordinado. Este último cree que si no «transige», su puesto de trabajo correrá peligro. Si a esto añadimos algo de baja autoestima, tenemos el cóctel para una situación de abuso constante. El elixir que recomiendo está en el autoconocimiento y la creencia en la valía personal. ¿Qué pasará si denuncio a otras personas de la empresa este comportamiento? ¿Qué puede pasar si hago frente a esta persona? ¿Qué pasaría si buscase otro trabajo? A veces estos comportamientos tienen como «cómplices» a otras personas que observan el abuso, pero tienen el mismo miedo, y por eso no actúan.

➤ **La necesidad de un salario.** Tener obligaciones económicas nos hace tener más «laxitud» con estos comportamientos. Tengo que pagar mi casa, mi coche, mi ropa…, por eso admito esto. He escuchado en tantas ocasiones este argumento que no puedo más que revolverme para intentar «despertar» a la persona que lo intenta razonar. ¡¡Por supuesto que trabajamos por dinero!! Esto es evidente. Pero esto ¿qué tiene que ver con que nos humillen? ¿Es lícito sentirse mal por un salario? Y nuestra salud física y emocional ¿no importa? No creo que nada en la vida valga tanto dinero como nuestra dignidad y nuestro bienestar.

➤ **El apego por perder algo.** Ya no solo el miedo a perder el trabajo, sino el salario, a los/as compañeros/as, un buen puesto, un estatus, una buena localización geográfica, un buen horario, o simplemente **al cambio**. He visto en tantas ocasiones esto que puedo afirmar que se trata una de las causas principales para no defenderse ante un abuso. Este «maldito apego» nos arrastra como la gravedad a preferir vivir de manera incómoda que hallar otras opciones. Aquí la fórmula es **arriesgarse** y relativizar el apego preguntándote: ¿Es tan importante esto a lo que me estoy apegando? ¿Qué pasaría si lo pierdo? ¿Qué otras alternativas tengo? Las respuestas a esa **conversación interior** suelen ser lo suficientemente eficaces como para tomar una decisión importante. Son lo que he denominado **«momentos de la verdad»**.

¿Por qué algunas personas aguantan mucho tiempo en un trabajo tóxico?

Desde mis inicios profesionales en el área de recursos humanos, ya hace más de veinticinco años, he hablado con muchas personas que se sentían mal en su trabajo. Desesperadas, frustradas y/o ansiosas. Todas ellas presentaban un cuadro de ansiedad y se sentían atormentadas por su día a día en el trabajo. Algunas cayeron enfermas. Otras tuvieron problemas en su vida personal. Incluso he conocido alguna historia con un trágico final derivado de este estrés laboral, como es el fallecimiento.

¿Qué entendemos por trabajo tóxico?

Es aquel que de alguna manera afecta a la salud física o emocional.

Algunos de los factores que pueden acontecer son: enfermedad física, ansiedad, estrés, falta de sueño, desorientación, desesperación, falta de energía, adicciones provocadas por ese estado…

Cuando te sientes mal anímicamente por tu trabajo, empiezan a aparecer los primeros síntomas. Te sientes bajo de moral, y eso afecta a tu rendimiento laboral y a tu vida personal.

Estos entornos tóxicos laborales suelen ser los siguientes:

- Te sientes humillado por los que te rodean y sufres faltas de respeto. Puede ser por el mánager o los compañeros o clientes, o por otras personas relacionadas con el trabajo
- Crees que estas realizando mal tu trabajo, que no estás preparado para ciertas funciones y responsabilidades.
- Te encuentras mal por comentarios o sucesos que ocurren en tu día a día. Esto te llega a derrumbar cuando ocurren ciertos casos en los que tu profesionalidad se pone en entredicho.
- Trabajas muchas horas y apenas descansas. No tienes tiempo para tu vida personal, y eso empieza a afectarte.
- Sientes mucha presión por el entorno. Crees que no llegas a los plazos y a las exigencias de tus tareas.
- Recibes reproches de los demás por tu comportamiento profesional.
- Siempre existe una presión constante en las tareas y en los entregables. Vives con presión permanente tu día a día laboral.
- Te cuesta ir a trabajar. Sufres cuando vas al trabajo o mientras estás en tu puesto de trabajo. En ocasiones se produce el **síndrome del domingo por la tarde**, que consiste en que empiezas a sufrir el domingo (algunas personas me han llegado a confesar que incluso sienten estos síntomas de desazón los sábados, ¡¡varios días antes de empezar a trabajar!!).

Existen otros múltiples factores de ambientes tóxicos, aunque estos suelen ser los más frecuentes.

¿Por qué algunas personas aguantan en estos entornos tóxicos?

Lo quiero ilustrar con algunas frases o argumentos repetidos durante tiempo que me han dado miles de personas a lo largo de los años para justificar su permanencia en este tipo de ambiente.

➤ **Motivos económicos.** Todas las personas (sin excepción) trabajamos por dinero (solo conozco a algunos voluntarios de ONG que tienen otra vocación diferente que no lo hacen). Entonces esto condiciona el motivo principal por el que trabajamos y también los motivos para no abandonar un puesto de trabajo.

La gran mayoría de las personas con las que me he relacionado, y que son incapaces de dejar un trabajo tóxico, me dicen lo siguiente:

○ *«Mi economía personal o familiar depende de mi salario y no puedo correr riesgos».*
○ *«No sé si podré encontrar un salario igual o mejor»* (esto lo he visto mucho en profesionales directivos que creen que han llegado a su tope profesional).
○ *«Estoy a punto de recibir un bonus o una subida salarial que me han prometido»* (a veces, cuando lo reciben, siguen esperando otra recompensa más adelante en el tiempo).
○ *«Por el salario que cobro»*, sea mucho o poco, *«debo hacer ciertos sacrificios y aguantar ciertas cosas».*
○ *«No voy a encontrar un salario mejor para mi puesto en otro sitio».*

La mayoría de estas justificaciones son creencias personales que el individuo ha desarrollado con el tiempo para poder justificar el «aguante» en este entorno.

➤ **Estabilidad del puesto de trabajo.** Algunas personas valoran mucho la estabilidad. Sobre todo personas que han tenido cierta temporalidad en empleos durante una etapa de su vida y les ha marcado a la hora de tomar decisiones buscando esa cierta «estabilidad» que les proporciona seguridad. Las frases que suelo escuchar son las siguientes:

○ «Al menos tengo un trabajo estable. Y eso es lo importante».
○ «Prefiero quedarme aquí, que tengo un contrato indefinido y llevo ya tiempo, a correr riesgos en nuevas aventuras».

○ «En mi empresa no despiden a nadie, y eso me da seguridad de que voy a tener un empleo y un salario».

La «estabilidad» está actualmente sobrevalorada. Las crisis económicas sufridas han instalado un pensamiento de que la estabilidad en el empleo nos da seguridad ante la siguiente crisis. Pensar que es muy difícil que me despidan o que estoy en una compañía estable y que es muy difícil ocurra alguna catástrofe en la empresa es una creencia que algunas personas han desarrollado para sentirse seguras.

La historia económica ha demostrado que ya no existen trabajos estables (solo los funcionarios, y solo por el momento).

➤ **Creencia en falta de empleabilidad.** Cuando nos autoconvencemos de que lo que tenemos es lo mejor que podemos conseguir, y que debemos conformarnos porque no tenemos más posibilidades profesionales fuera de nuestro entorno, es cuando decimos frases como estas:

○ «No soy lo suficientemente bueno para otro trabajo en otro sitio».
○ «Adónde puedo ir si nadie me va a querer por… edad, falta de estudios, poca experiencia, demasiada especialización, o no soy tan buen profesional».
○ «Por mis circunstancias va a ser difícil que encuentre otro trabajo».

Se produce una especie de «autocastigo» en el que las personas se flagelan pensando que no van a poder encontrar otro empleo y que tienen serias dificultades para poder conseguir otro trabajo.

La solución a esta «creencia limitante» es poder analizar el mercado y comparar nuestras habilidades profesionales con lo que está demandando. Hacer un estudio, bien con las ofertas de empleo que hay en internet, bien preguntando a expertos, puede hacer que esta creencia disminuya o desaparezca, como suele ocurrir en muchas ocasiones, según mi experiencia.

➤ **Trabajo en un/a puesto/empresa de gran prestigio.** La marca que ofrece al exterior la empresa ofrece imagen de fiable, segura y con prestigio. Esto lo he visto con las siguientes expresiones:

○ «No voy a conseguir nunca en mi vida otro cargo como este».

○ «Las garantías que me da trabajar en esta empresa son muy grandes».
○ «No puedo dejar pasar la oportunidad de trabajar en esta compañía».
○ «Esto es lo que siempre había querido y no lo puedo dejar pasar».

A veces el «glamur» de un gran nombre de compañía nos atrapa en nuestra creencia de que estamos en lo mejor de lo mejor, aunque tengamos que aceptar ciertos sacrificios o estemos sufriendo con nuestro trabajo enormemente.

Podría ilustrar cientos y cientos de casos de personas que han aguantado por este motivo, y cuando se ven fuera de esa compañía y lo ven en la distancia, se dan cuenta del tiempo que han estado sufriendo innecesariamente solo por trabajar en una compañía de cierto renombre.

La solución es preguntar a personas que han salido de esa misma compañía para poder tener cierta visión de cómo es la vida fuera de esa empresa, y que hay otros sitios, quizás con menos nombre, donde se trabaja muy bien y se puede disfrutar de lo que haces.

➤ **Tengo mi círculo de amistades en esta empresa.** Y, por supuesto, no los quiero perder. Hay un miedo a pensar que si me voy, puedo desvincularme del grupo. Me perderé cosas del día a día. Sufro en el trabajo mucho, pero al menos tengo amigos. Esto es lo que me suelen decir:

○ *«Aquí están mis amigos, mi grupo social, y no puedo dejarlo».*
○ *«Si me voy, perderé contacto con mis amigos, y es posible que no los vuelva a ver»* (aquí actúa el miedo).
○ *«Mi vida gira en torno a este grupo de personas. Son mi gente. No puedo abandonarlos».*

La «creencia limitante» basada en que perderé el contacto para siempre, o que estaré ausente del día a día, a pesar del gran sufrimiento que tengo, es una forma importante de retener a las personas en un sitio, aunque estén a disgusto.

Poder conversar con personas que te digan que se puede mantener el contacto, aunque sea de otra manera, con los antiguos compañeros de trabajo. O también poder facilitar la idea, mediante una «conversación poderosa», de que se pueden hacer nuevas amistades en otros trabajos o también fuera del entorno laboral porque se dispone de más tiempo para socializar, ayuda resolver esa situación.

➤ **Tengo buenas condiciones laborales.** Tan importante es el salario y la retribución como las condiciones de trabajo que hacen que una persona quiera permanecer en un puesto de trabajo o una empresa, aunque lo esté pasando mal. Esto es lo que suelo escuchar:

○ *«El trabajo me pilla cerca de casa».*
○ *«Trabajo en una zona donde hay pocos trabajos de lo mío y no quiero dejar la zona donde vivo»* (esto suele ocurrir en poblaciones con poco empleo y donde las personas tienen difícil encontrar trabajo en otra empresa de su entorno geográfico).
○ *«Tengo un buen horario. Puedo salir antes del trabajo que otras personas».*
○ *«Me permiten flexibilidad de entrada o salida, y eso me ayuda en mi vida personal».*
○ *«Puedo teletrabajar, y no sé si en otros sitios voy a tener esta ventaja».*

La creencia de que en otros trabajos no tendría las mismas condiciones de flexibilidad o que merece la pena estar mal y padecer por las condiciones que tengo puede llegar a dejarnos bloqueados para no movernos.

Como hemos comentado antes, la comparativa, el análisis del mercado laboral y la investigación con expertos de otros puestos de trabajo con condiciones similares puede hacernos abandonar este inmovilismo.

➤ **Pensamientos internos sobre la idea de dejar el trabajo como una derrota.** Todos los seres humanos mantenemos un «dialogo interior» en el que nos decimos cosas. Estas «autoconversaciones» pueden llegar a tener pensamientos negativos tales como «yo no valgo», «yo no estoy preparado», «yo no puedo», «yo no lo merezco».

En ocasiones podemos a llegar a sentirnos unos fracasados o cobardes ante una situación que nos desespera.

Tenemos un censurador interno que nos reprocha lo que hemos hecho o lo que hemos dejado de hacer, o que no hemos hecho lo suficiente. Esto a veces se expresa al mundo exterior con las siguientes frases:

○ «No puedo dejar este trabajo, sería un fracaso para mi».
○ «Si lo dejo, es que me he rendido y que no he sido lo suficientemente fuerte para aguantar la presión».
○ «Todos pensarán que no he tenido el suficiente coraje para aguantar esto».

Pensar que no tenemos aguante suficiente ante determinadas situaciones de presión laboral, y que tiramos la toalla pronto (aunque suframos mucho), puede anclarnos en un trabajo tóxico.

Pensar que si abandonamos los demás creerán que nos hemos rendido o que somos débiles, nos hace vulnerables y nos bloquea.

La creencia de que no eres capaz de soportar la presión y no estás preparado para ciertas responsabilidades se puede instalar en nuestro cerebro.

Lo que nos contamos a nosotros mismos debe tener significado, y en eso somos especialistas, en dar sentido a lo que hacemos en nuestra vida y buscar una versión coherente y que nos dignifique ante los demás y ante nosotros por lo que estamos pasando.

Poder tener una visión diferente, alejado de los pesares de derrota o culpa, nos puede ayudar a resolver este momento de bloqueo por la sensación de que no podemos rendirnos. Esas personas cercanas que nos aportan otra visión son las que nos pueden ayudar a salir del bucle.

➤ **Fidelidad a una persona o a la compañía o a un grupo o equipo.** Esa especie de fidelidad o lealtad mal entendida la suelo ver reflejada en las siguientes expresiones:

   ○ *«Fue la persona/empresa que me dio una oportunidad y no puedo defraudarla o ser desagradecida».*
   ○ *No puedo dejar tirados ahora a mis compañeros. No es buen momento».*
   ○ *«Mi mánager apostó por mí y no puedo decepcionarlo o dejarlo tirado».*

Ese sentimiento de la lealtad que hemos llevado al extremo de «hasta el final» nos aboca a situaciones límite donde «las pasamos canutas» por tener esos principios.

Sufrir por algo o por alguien está abocado a una situación negativa donde puede acabar muy mal.

La historia ha demostrado que seguir a un líder, que puede estar perturbado o tener una misión «suicida», no es una buena decisión si nos está perjudicando personalmente.

Analiza bien si merece la pena continuar por alguien, si eso le da rumbo a tu vida y si no es un precio muy alto el que estás pagando por esa creencia.

➤ **Tengo una misión y he de cumplirla.** Algunas personas entran en una empresa con un gran objetivo o misión que daba significado a su trabajo o a su vida, y no entra en sus planteamientos poder dejarlo a medias o de forma inacabada, aunque lo estén pasando realmente mal.

Estoy en algo superior a mi existencia o a mis intereses personales, o incluso a mi vida, va más allá de mí.

No puedo ser egoísta y pensar en mí cuando lo que hago es para un objetivo que trasciende mi propia vida.

Debo darlo todo para que salga adelante, aunque me cueste un gran sacrificio personal.

Esto me hará más grande y seré recordado (aún no he visto lápidas que pongan que esa persona falleció por hacer más grande a su empresa y a sus magníficos objetivos).

Abandono mis objetivos de vida por otras finalidades que me hacen sentir bien (aunque no sean las mías).

De nuevo me he encontrado con los siguientes argumentos:

○ *«Esto es más importante que yo mismo, debo culminar mi misión».*
○ *«Fui contratado para conseguir un gran objetivo y no puedo abandonarlo a medias».*
○ *«Pocas veces en mi vida voy a tener la oportunidad de estar en un proyecto tan importante y trascendente como este».*

Decía Steve Jobs, en su famoso discurso de Stanford, que no sigas los sueños de otro. Se trata de perseguir nuestros propios sueños.

Puede que el proyecto sea trascendente y que hagas «historia». Pero hazte la siguiente pregunta: ¿merece la pena el sacrificio y la angustia personal que estoy padeciendo por este proyecto?

Las personas que descubren que están en algo que les está costando su propia vida tienen la revelación de que quizás no merezca la pena el pago que deben hacer de su vida personal.

➤ **Indecisión por incertidumbre del mercado laboral.** La inestabilidad permanente que parece nos ofrece el mercado de trabajo nos hace situarnos en indecisión y nos inhibe a la hora de tomar decisiones de variación de camino. Oraciones como las siguientes he tenido que escucharlas:

  ○ *«No es el momento adecuado para cambiar. Con la que está cayendo».*
  ○ *«Corro mucho riesgo si me voy ahora, según esta el mercado laboral».*
  ○ *«Si me voy y en el otro sitio prescinden de mi rápidamente, estoy en una situación comprometida para mí (o mi familia)».*
  ○ *«Voy a esperar a que esto mejore, a cobrar un bonus, a que cambien a mi jefe…».*

Nos agarramos a la situación que creemos es «temporal» y que cambiará en algún momento por sí sola.

Situaciones que no dependen de nosotros mismos, sino de circunstancias que no controlamos y ajenas a nuestra actuación.

Como digo a las personas con las que converso: «Para tener un hijo o cambiar de trabajo siempre es mal momento. Hay que ser valientes. Tener coraje. Y poder decidir con el corazón y la cabeza» (Ángel Largo *dixit*).

Esperar a que cambien las cosas por sí solas no es una buena forma de plantear una vuelta en la vida. Se trata de actuar con valentía para poder afrontar una nueva realidad.

Poder aceptar que existen otras posibilidades, que pueden llegar a ser mejores que nuestra actual realidad, nos ayudará a tomar la decisión.

De nuevo abogo por consultar con terceras personas o leer datos y opiniones de expertos que nos ayuden a tomar la decisión correcta.

➤ **Anclaje a la indemnización.** El sistema español que acarrea acumular una indemnización en caso de despido a lo largo de los años hace que algunas personas se vean retenidas en su puesto de trabajo para no «perder» ese dinero que han «almacenado».

No cuentan con que pueda haber circunstancias externas que hagan que no reciban esa cuantía: una quiebra de la empresa, una reestructuración con topes máximos, un despido legal por algo que la persona ha realizado…

Mi buen amigo Emilio trabajaba en una multinacional. Con el pasar de los años llegó a desesperarse porque su carrera profesional se había estancado y se aburría enormemente con lo que hacía. Además, le cambiaban de posición cada cierto tiempo, y eso le desesperaba. Todas las mañanas tenía un Excel actualizado con lo que le tocaba de indemnización si le despedían ese mismo día. Decía que eso le animaba a continuar. Cuando la empresa tuvo una reestructuración por una fusión, «por fin» le llegó el turno de ser despedido, pero lo hizo con un acuerdo menor del que tenía previsto, lo que le supuso un desencanto absoluto y un desengaño con sus expectativas.

Como mi amigo Emilio he conocido a otras personas que me decían lo siguiente:

○ *«Llevo muchos años en esta empresa y si me voy, perdería mi antigüedad».*
○ *«No me voy a ir y regalarles lo que me pertenece y que tanto tiempo y sacrificios me ha costado; que me echen ellos».*
○ *«Si me voy ahora parto de cero y pierdo todo lo acumulado por mi indemnización, por lo que no quiero asumir el riesgo de perderlo todo».*

La realidad «ilusoria» de que tenemos una «mochila» que va acumulando un dinero que «nos pertenece» puede verse truncada en cualquier momento por diferentes circunstancias.

Poder ser conscientes de esa realidad, bien porque conocemos personas que la han vivido o bien porque preguntamos a personas que finalmente no han accedido a las cantidades que tenían previstas, puede hacer que ese «anclaje» que tenemos para quedarnos en un puesto de trabajo tóxico, por un dinero «posible» que puede correspondernos, se termine rompiendo.

➢ **Por prestigio personal.** Algunas personas llegan a ciertos puestos que suponen un desafío alcanzado, tanto en posición como en responsabilidades. Es como un «culmen» en su carrera profesional, o al menos eso creen ellas.

Esas personas están condicionadas por la creencia de que va a ser muy difícil, y algunas piensan que casi imposible, que consigan otro puesto o estatus similar o superior.

También suelen estar sujetas a sus palabras con su entorno. En ocasiones se atreven a decir a todo el mundo que les rodea que tienen un buen trabajo y que están fenomenal.

Se sienten comprometidas y vinculadas a su decisión y sus palabras, aunque no sean ciertas.

Les cuesta admitir que se han equivocado o que están en un error, aunque les suponga un tremendo castigo ir a trabajar a un sitio a disgusto todos los días.

Si lo dejan, es posible que alguien les pregunte por qué lo hicieron, y es posible que así demuestren su incoherencia o que han vivido en una mentira.

Debemos justificar que nuestra decisión fue y sigue siendo la correcta, y así pasamos parte de nuestra vida: **justificándonos.**

Muchas personas recrean su historia de la siguiente manera:

○ *«¿Dónde voy a estar mejor que con este puesto y estas tareas? No creo que tenga un sitio mejor adonde pueda ir».*
○ *«Esta es mi cota definitiva en mi carrera profesional, y debo mantenerla».*
○ *«He llegado adonde quería, y no puedo perderlo ni dejarlo».*

Se produce en estas personas una **disonancia cognitiva** entre lo que piensan, dicen y hacen. Dicen que eso es lo mejor, cuando saben que no lo es y se sienten mal por ello.

Romper con esta disonancia requiere un esfuerzo de «reflexión interior» donde se deben llegar a conclusiones importantes con **preguntas poderosas** como las siguientes:

- ¿Qué es lo mejor para mi vida?
- ¿Merece la pena mantener un estatus o puesto a costa de mi salud?
- ¿Un logro profesional es más importante a que sea feliz en mi vida?

También se puede hablar con otros «damnificados» que hicieron grandes sacrificios por una posición, un estatus o responsabilidades. Saber cuál fue el precio que pagaron puede hacernos ver la «luz».

➤ **No tengo fuerzas para dejarlo o afrontar un nuevo proyecto.** Cuando llegamos al límite de nuestras fuerzas y nos sentimos tan agotados que no podemos realizar otra cosa que no sea lo que estamos haciendo en este momento, se trata de un **momento de la verdad**. Es cuando tenemos que tomar una decisión o podemos caer agotados y/o enfermos.

Algunas personas ilustran esa situación con las siguientes frases:

○ *«Estoy tan agotado y cansado que prefiero quedarme aquí y no pensar en nada más».*
○ *«No me siento capaz ahora de cambiar; cuando recupere la energía me lo plantearé».*
○ *«Me siento tan mal que soy incapaz de pensar en un cambio».*
○ *«Estoy tan ocupado y agotado que no tengo tiempo ni fuerzas de buscar otro trabajo».*

Es en este **momento de la verdad** tan crucial que puede significar que caigamos física y/o emocionalmente cuando hay que plantearse abandonar y dejarlo por el bien de nuestra salud y nuestra vida.

De nuevo, conocer experiencias como la de **María,** que lo dejó todo porque no podía más, nos puede ayudar a tomar una decisión trascendente para nuestra existencia.

➤ **Buscar razones para quedarse.** Algunas personas, en su desesperación, quieren dar sentido a lo que está pasando. Necesitan que todo por lo que están pasando tenga una explicación. Y por eso buscan razones para quedarse en un lugar tóxico. Algunas de las que he escuchado a lo largo de mi vida son las siguientes:

 ○ *«Esto no va a durar siempre. Algún día las cosas cambiarán».*
 ○ *«Esta situación es pasajera. Solo durará un tiempo».*
 ○ *«Ya queda menos para que esto acabe»*
 ○ *«Al menos tengo trabajo. No todo el mundo puede decir lo mismo».*
 ○ *«No puedo tirar por la borda todo este tiempo invertido aquí».*
 ○ *«Puedo aguantar un poco más. No todo es tan malo».*

Ya hemos hablado del **síndrome de la rana hervida.** Algunas personas prefieren aguantar la situación y van quemándose poco a poco.

Plantéate cuántas excusas te pones para seguir aguantando una situación insufrible. ¿Merece la pena?

De nuevo nuestro cerebro quiere hacernos creer que todavía tenemos aguante para un tiempo adicional. Como el boxeador que, estando medio K.O., todavía pide otro asalto más. Si es así, espero que alguien te anime a «tirar la toalla» para que no caigas en la lona.

➤ **Creencias sobre el currículum vitae y postulaciones a futuros puestos de trabajo.** Existen algunos mantras instalados en el mundo del trabajo que como *headhunter* me veo en la necesidad de desmentir. Me encuentro con las siguientes creencias en muchas personas.

 ○ *«Si ven que tengo muchos bandazos profesionales, pensarán que soy inestable o poco fiable y nadie me contratará».*
 ○ *«Si me voy, tendré que explicar por qué lo he hecho y pueden creer que tuve poco aguante».*

○ *«Ninguna empresa o reclutador entenderá que me he ido porque ya no podía más».*

Cuando los «captadores de talento», entre los que me incluyo, nos enfrentamos a un CV, la máxima prioridad es que la persona reúna los **requisitos para el puesto.** No juzgamos los tiempos de estancia, a no ser que sean llamativamente cortos y muy continuados, aunque esto está aceptado en los inicios de la carrera profesional de las personas. Aun así, nos planteamos que puede haber explicaciones a esos cambios y procuramos no juzgar antes de escuchar los motivos de esas situaciones.

En las entrevistas preguntamos los motivos de salida de cada trabajo, y esta aceptado por los profesionales de recursos humanos que alguien haya salido por un ambiente tóxico de trabajo. Incluso con el tiempo y la experiencia, como me pasa en ocasiones, detectamos que cuando una persona ha trabajado en determinadas empresas renombradas y con su fama, es posible que lo haya pasado realmente mal, y lo tenemos en cuenta sin juzgar el tiempo de permanencia.

Espero haber roto definitivamente con este «maldito mantra» de «no me voy porque van a creer que no tengo aguante». Es tan falso e incierto como algún otro que anda por ahí y que no está relacionado con este libro.

➤ **Esperar a que otra persona dé el primer paso y se vaya antes.** Cuando estamos en un grupo social, las investigaciones demuestran que podemos llegar a comportarnos como lo hace la mayoría del grupo. Si estamos en un sitio donde la gente «aguanta» lo que le echen, entonces tenemos tendencia a creer que eso es lo que hay que hacer. A veces en el entorno se produce el llamado **«quejido organizacional»**, que consiste en quejarse de la situación pero no hacer nada para remediarlo. Es cuando se produce esa sensación de que si alguien da ese primer paso, nosotros lo haremos. Y se escenifica con los siguientes pensamientos:

○ *«Si se va alguien de mi departamento/grupo/empresa, entonces yo me iré».*
○ *«Cuando se vayan otros, entonces debo plantearme que debo irme (pero no antes)».*
○ *«No voy a ser yo el primero que se vaya, que lo hagan otros».*

La fuerza que tiene el grupo sobre nuestras decisiones nos arrastra a continuar y seguir haciendo lo mismo durante un tiempo.

Está demostrado que en una empresa con baja rotación se produce un efecto «lastre» por el que las personas no se plantean moverse del trabajo por la presión del entorno.

Cuando tomamos consciencia de que no tenemos que hacer lo mismo que los demás, y que somos dueños de nuestras decisiones, entonces podemos plantearnos tener el **coraje** de cambiar, aunque no lo hagan los demás.

➤ **Asimilar que lo que ocurre es «normal».** Cuando normalizamos una situación en la que estamos sufriendo, y llegamos a pensar que es lo que tiene que ser y que no hay otra alternativa, es cuando nos encontramos más lejos de cambiar.

Esto se suele verbalizar con las siguientes frases:

○ *«Tengo estrés y me siento mal y sufro, pero eso es lo normal en mi trabajo».*
○ *«Es el peaje que tiene este trabajo o cualquier trabajo y debo aceptarlo».*
○ *«En otros trabajos también me va a pasar lo mismo, así que ¿por qué debo cambiar?».*
○ *«Es la sociedad actual y su forma de hacer las cosas, y debo aceptarlas y adaptarme porque siempre va a ser así».*
○ *«No hay trabajos mejores, solo trabajos distintos con las mismas circunstancias de presión y estrés».*
○ *«Más vale lo malo conocido que lo bueno por conocer. Prefiero no arriesgarme».*
○ *«Vengo de otras experiencias iguales o peores, así que no me planteo que haya algo mejor».*

Algunas empresas (o más bien *managers*) «adoctrinan» a sus empleados haciéndoles «ver» que lo que ocurre es normal, o que la situación de estrés es transitoria, o es lo que tiene que ocurrir; o si no lo aguantas, es que no estás preparado para este trabajo (ni aquí ni en ningún sitio); o si queréis triunfar y ser exitoso, debes pasar por esto, aunque sufras. Frases como la de «no sabes el frío que hace fuera», ejerciendo la influencia de poder o «supuesto conocimiento» basado en su experiencia que tienen sobre las personas que coordinan, aniquilan los estímulos de variación de postura en las personas.

También influye estar rodeados de personas que soportan la misma situación y que llegan a creer firmemente que eso es lo que tiene que ser y no puede ser de otra manera. Se instala en el grupo la creencia de que no existen otras realidades.

Poder salir de esta dinámica requiere un punto de valentía y poder contrastar la información con otras personas o grupos de personas. La normalización requiere un golpe disruptivo por parte del afectado, que debe alejarse de esa «realidad» para coger perspectiva y un nuevo punto de vista.

➤ **Tener miedo al cambio y el miedo que nos transmite el entorno cercano.** El ser humano es un amante de la «profecía autocumplida», que consiste en vaticinar una catástrofe que si no ocurre, se olvida, pero que si ocurre, es que estábamos en lo cierto y eso nos vuelve prudentes y temerosos. En general, el miedo propio a lo que pueda suceder hace que se tomen menos decisiones de metamorfosis importantes en nuestra vida.

El entorno también influye y genera miedo y bloqueo para tomar decisiones. La influencia social cercana ejerce gran presión o bloqueo sobre nuestras decisiones. El ambiente que nos rodea y las personas cercanas pesan mucho a la hora de cambiar y es muy potente, consiguiendo que nos lastremos o quedemos inmóviles.

Ese miedo se transmite con algunas aseveraciones como estas que he escuchado en diferentes ocasiones:

○ *«Cualquier cambio supone un gran riesgo. Ahora no estoy dispuesto a correrlo».*
○ *«Fíjate lo que le pasó a Fulanita, que se fue y se pegó un batacazo».*
○ *«Ya me lo dicen mis padres (un buen amigo, un familiar…): ten prudencia en tus decisiones y no te precipites».*

¿Cómo podemos vencer todas estas situaciones para salir de ese entorno tóxico?

Cualquier **cambio** genera miedo, incertidumbre y tensión.

En ocasiones, un **«acontecimiento inesperado»** puede precipitar la decisión. De repente ocurre un suceso que nos empuja a tomar la decisión. Como una gota que colma el vaso. Los americanos lo llaman «*Reality Bites*», que es como «golpes de realidad», que nos impactan y nos hacen ver las cosas de otra manera.

¿Qué sucesos pueden ser? Estos son algunos que he observado en primera persona:

- Un susto importante a nivel salud en general.
- Un infarto (si se resuelve favorablemente, claro).
- Una baja por enfermedad derivada del trabajo y que nos haga reflexionar durante ese tiempo.
- Una bronca fuerte con alguien del trabajo (puede ser un superior directo u otra persona).
- Un ultimátum de tu entorno cercano: «O lo dejas o pasará esto (te dejo, no me relacionaré contigo…)».
- Estás tan extenuado y cansado que ya no tienes fuerzas para seguir aguantando esta situación y decides cambiarla.
- Un divorcio o ruptura de pareja propiciado por la situación tóxica.
- La pérdida de un ser querido que te hace reflexionar sobre lo efímero de la vida.
- El reproche de los hijos: «Casi no te vemos, no quieres jugar conmigo, siempre estas cansado…».
- Una «conversación poderosa» con alguien que nos quiere y nos hace reflexionar. Algunas personas lo llaman «hacer clic» en nuestro cerebro.
- Hacer una «reflexión poderosa» sobre la situación y admitir que podemos estar en otra mala que debemos mejorar. Se trata de admitir que podemos habernos equivocado en nuestras ideas y que debemos cambiar.

Esto último seria la situación que debemos tener en cuenta. La **reflexión sobre si merece la pena sufrir en ese trabajo.**

Aquí te dejo dos «**ideas fuerza**» para que puedas reflexionar sobre abandonar un escenario toxico de trabajo:

Deja de aceptar lo inaceptable.

Trabajar es algo más que ganar dinero.

Desdramatizar las relaciones profesionales

El extracto que os dejo a continuación es del blog de la web www.hudipro.com que publiqué el 11 de septiembre de 2019, a la sazón fecha de mi cumpleaños.

Ese día debía de estar inspirado y decidí publicar el siguiente artículo llamado «**Desdramatizar las relaciones profesionales**», que ha sido muy leído en la plataforma de HUDIPRO. La reflexión es la siguiente:

«**La mayoría de las personas dejan sus trabajos por sus relaciones, con clientes, colegas o superiores, siendo mayoría estas últimas**».

¿Qué pasaría si desdramatizáramos esas relaciones?

Por ejemplo, si alguien dice algo que nos ofende o humilla, nuestra «conversación interior» podría consistir en algunas de las siguientes:

— *Pobrecillo/a, seguro que tiene un mal día. (Casi todas las personas tienen una lucha interior con sus problemas y sus incongruencias, y pueden reaccionar mal ante terceros y de manera ofensiva).*

— *Me da igual lo que diga, no le doy importancia, es solo un desencuentro laboral, nada personal. (La mayoría de los conflictos laborales no son personales, sino desencuentros en la forma de trabajo o de relacionarse; no es nada en contra de alguien, y cuando lo es, es palpable y se nota mucho).*

— *Bah, no le doy importancia a lo que dice esa persona, no influye sobre mí, no le otorgo valor a lo que dice o hace, no tiene poder sobre mí. (Cuando algunas personas repetidamente se comportan de manera ofensiva o desleal, está en nuestras manos no otorgarles el poder que nos influya en nuestras emociones y sentimientos).*

— *Voy a no entrar en conflicto con esta persona y zanjar la conversación aquí sin alargarla inútilmente. Luego haré lo que crea conveniente. (A veces un superior nos puede solicitar o recriminar algo con lo que no estamos de acuerdo. En muchas ocasiones el poder que tiene sobre nuestro día a día laboral nos frustra y nos puede hacer decaer. Si decides dejarlo ahí y no «discutir con la autoridad», es probable que el problema no avance).*

¿Qué pasa si la cosa es más grave y no vale solo con desdramatizar? Ahí es cuando hay que ser más determinante y hacer frente al problema con fortaleza y sin dudar. No te dejes pisar si no quieres, y no aceptes algo en contra de tus valores y principios.

Desdramatizar en el trabajo también tiene que ver con el agrado que producen las tareas que realizas.

Siéntete orgulloso y satisfecho de lo que haces y cómo lo haces. Que no te influyan algunas personas en lo que tú sientes al respecto.

Historias de personas que dieron un cambio en su vida

Durante un año y medio me dediqué a entrevistar a personas que habían dado una variación importante en su vida personal y profesional. Más bien era una **transformación**, ya que habían pasado de una situación a otra muy distinta.

Me interesaba sobre todo cómo se sentían, que revivieran los momentos de mayor impacto, tanto positivo como negativo, y que sacaran las conclusiones, no solo racionales, sino también las derivadas del corazón. Algunas personas lo pasaron mal reviviendo los «malos momentos» que experimentaron. Se notaba la tensión y brotaron las lágrimas, aunque la mayoría me dijeron que contarlo fue liberador.

Fue una investigación profunda y muy interesante, que me ayudó personalmente a reinventarme y poder afianzar mi resiliencia y cómo afrontar la adversidad.

Por consideración y cariño voy a obviar los «nombres reales» de los protagonistas (aunque algunos de los que lean este libro sabrán quiénes son) y voy a utilizar otros nombres. Son historias reales que he podido vivir en primera persona como espectador y como «escuchador». Me siento muy contento de haber servido de desahogo, en mayor o menor media, y de poder transmitir estas historias con las que cualquiera se podría identificar en un momento de su vida.

Una de ellas me dio una de las claves para sentir ilusión por lo que hace y por las vicisitudes experimentadas: **«Vivo en búsqueda»**. Y yo también vivo de esa manera.

Braulio se estaba quejando constantemente de su situación profesional. No se sentía valorado en las empresas por las que pasaba. Había salido de una situación traumática, ya que la empresa a la que dedicó más de diez años de su carrera profesional le terminó despidiendo, y eso le afectó anímicamente. Después de esa experiencia fue de trabajo en trabajo, con una media de duración de apenas un año o año y medio (en una empresa llegó a estar algo más de dos años). Sentía que no encajaba, que no le entendían, y se quejaba constantemente de los modelos de dirección de sus jefes o jefas. No sabía cómo acertar e intentaba formarse en diferentes conocimientos para ampliar su «empleabilidad». Un buen día le sobrevino una enfermedad que le «obligó a parar». Fue como un momento trascendente que le ayudó a reordenar sus prioridades y a gestionar sus emociones, centrándose en lo importante. Hoy sigue intentando «acertar» con el trabajo que le permite desarrollarse a nivel personal y profesional. Su punto de vista ha cambiado. Está más cerca de la jubilación que cuando lo conocí, y su mirada va más en esa dirección. No se arrepiente de nada, o quizás sí, aunque le cuesta reconocerlo. Su mirada denota cansancio y agotamiento por la vida. Ser buena gente no le ha impedido sufrir.

Carlos estaba permanentemente preocupado. Al igual que Braulio, salió de una empresa a la que dedicó más de diez años, pero en esta ocasión por iniciativa propia, creyendo que estaba destinado a un trabajo mejor. Decidió romper su estabilidad y confort en busca de una carrera profesional exitosa en otro sector y en otro tipo de empresa. Tras su aspecto y conversación calmada se escondía una honda preocupación por todo. Por el trabajo, por su relación de pareja, por su vida. Vivía preocupado, hasta que ocurrió lo inevitable. Cayó en una depresión que le hundió completamente. Perdió su trabajo, se divorció de su pareja y, siempre según él, «tocó fondo». Cuando me contó su situación, no podía dar crédito. Yo nunca le había visto nervioso, aunque luego me dijo en una larga conversación que siempre se movía algo dentro de él que no estaba a la vista de los demás. Superó el proceso psicológico depresivo, o quizás le quedaron algunas secuelas. Sigue teniendo inseguridad y «nervios interiores», aunque intenta exteriorizar tranquilidad. Sigue sufriendo. Va de trabajo en trabajo, sin encontrar estabilidad. Su preocupación le ha pasado factura en la vida y en su físico, que se ha deteriorado con el tiempo.

Jerónimo estuvo muchos años, desde que era un chaval joven, en una misma empresa. Empezó como administrativo y terminó como directivo de la compañía, a la que había visto crecer de manera importante. Se sentía parte de ese proyecto. En muchas ocasiones era él quien abría la oficina y la cerraba, en la mayoría de los días laborables y algún festivo. El tiempo deterioró su relación con la propiedad de la empresa, hasta que el dueño, no sin antes haberle degradado profesionalmente, terminó por pactar un despido que suponía una salida de la compañía. Cuando terminó esa etapa, él se sentía «aliviado», pero yo me di cuenta de que poco a poco estaba descentrado. Se quejaba de que tenía que hacer las labores del hogar, se compró un coche de gama medio-alta con el dinero de la indemnización, intentó comenzar algún proyecto emprendedor con socios con los que no se entendía, tenía discusiones en casa con su pareja... Hasta que consiguió un trabajo «de lo suyo» que le permitía poder retomar su «autoestima profesional». Duró poco, ya que desafortunadamente la empresa terminó por declararse en quiebra. Todo eso acabó minando su confianza en sí mismo, hasta que decidió que iba a dedicarse a un trabajo que no le supusiera una «gran dedicación» y si pudiera ser, en media jornada. Más cerca de la jubilación ha encontrado un trabajo que le permite compatibilizar su vida personal y profesional, y por fin se siente en paz consigo mismo.

Pilar terminó los estudios universitarios y se puso a trabajar de inmediato. Lo hizo en un proyecto social que al principio le entusiasmaba. Cuando reconecté con ella, después de muchos años sin verla, estaba en un estado semidepresivo. Hastiada de su trabajo y de lo que le rodeaba. Podía hablar durante horas de lo «mala» que era su jefa, que era también dueña del negocio, y lo mal que lo hacía. Se lamentaba de que había consentido muchas situaciones que en ese momento le estaban pasando factura: pérdida voluntaria de derecho de cuidado de hijos cuando le correspondía, ir a trabajar enferma, dejar a sus hijos enfermos para ir a trabajar. Llegó a tener la obsesión de «devolver» el daño que le habían producido en forma de denuncia a la empresa. Terminó abandonándola, con una negociación que considera mala para ella, pero que le aliviaba del dolor acumulado durante más de dieciocho años de «sufrimiento» y «soportar» diferentes situaciones. Después de su salida seguía maldiciendo y lo extrapolaba al mundo en general y a los jefes/as en particular. Creía que los dueños de empresas eran déspotas y tiranos de forma genérica. Una desgracia familiar le reubicó las prioridades. Tuvo que reordenar su vida, intentó adaptarse a una vida más «sencilla» que le supusiera menos responsabilidades.

María Elena es todo bondad. Alcanzó cotas de reconocimiento profesional como directora financiera, y en un momento de su vida decidió hacerlo como autónoma para ayudar a diferentes empresas. Su honestidad y la ética de sus principios están por encima de todo. Optimista incurable, siempre ve el lado bueno de las cosas, incluso de las desgracias. Su voz suave invita a una conversación amable y distendida, en la que puedes hablar de lo profesional y terminas hablando de la vida y cómo afrontarla. Su búsqueda de proyectos que le hagan sentir ardiente y que le permitan vivir una vida tranquila, donde da rienda suelta a sus pasiones y *hobbies* por encima del dinero o del prestigio profesional, es su «búsqueda». Vive en el campo, en medio de la naturaleza, y es feliz. Renunció a posiciones de alta dirección o a ganar mucho dinero frente a tener más tiempo, para ella y los suyos. Es la personificación de la felicidad, y de aceptar lo que viene desde la tranquilidad y la seguridad de que podemos ser mejores personas con lo que nos acontece en la vida.

José es puro nervio. Siempre quiere hacer algo nuevo. Tiene iniciativas de todo tipo. Es pura creatividad e imaginación. En un momento de su vida, en una multinacional, terminó harto de viajar, de sus jefes/as, de los cambios de estrategia, y decidió iniciar su camino de otra manera. Compatibilizó proyectos profesionales con trabajos por cuenta ajena. Siempre busca algo que le llene. Nuevos retos. Está en constante búsqueda. Creador infatigable, necesita tener novedades para poder seguir viviendo. Superó su frustración labrando su propio camino. Él dibuja su rumbo.

Patricio es otra de esas personas que merece la pena conocer. Su historia personal dibujó un carácter que fue forjando con cada experiencia. Como no terminó bien sus estudios de instituto, decidió irse a Estados Unidos. Allí descubrió una cultura y una forma de entender la vida que encajaban con su personalidad. Después de varios años estudiando y trabajando, volvió a España, y su carrera profesional fue en ascenso, llegando a dirigir una multinacional como director general. De ahí pasó a otra dirección general hasta que decidió que era el momento de «lanzarse por su cuenta», aunque no terminaba de dar el paso. Una fusión entre empresas le ayudó en su decisión, ya que a la reestructuración necesaria se puso como voluntario para salir. Una circunstancia que aclaró su futuro profesional. Hoy se dedica a proyectos fascinantes por todo el mundo. Ha montado su propia ONG y se rodea de personas positivas. Es una de esas personas con las que da gusto conversar y pasarse horas hablando de todo. Un mapamundi está en su despacho con todos los países visitados. ¡¡Me harían falta dos vidas para recorrer la mitad de los que él ha visitado!! Es un explorador de la vida y siempre está viendo qué puede revelar en su vida.

Pablo era un técnico informático que se ganaba bien la vida. Una enfermedad de riñón le puso entre la vida y la muerte. Tuvo que replantearse su vida. Ya no podía seguir el ritmo de trabajo que tenía. Tenía que recibir tratamiento constante y debía tener cuidado con lo que hacía. Se recluyó para estudiar Seguridad Informática y ser reconvirtió en un «*hacker* bueno», como dice él. Ahora ayuda a la seguridad de los sistemas de grandes empresas, desde su casa, y adaptando su ritmo de trabajo a su vida, no al revés. No pierde la sonrisa, aunque es un enfermo crónico, y mantiene una actitud vitalista.

Jesús es un aventurero. Ha recorrido países en pobreza extrema para poder ayudar. Además, es un magnífico escritor. Sus viajes le sirven para documentarse para sus novelas. Era un buen profesional que decidió, tras un despido, que iba a alternar su sueño con un trabajo por cuenta ajena que le permitiera escribir. ¡¡Y lo encontró!! Le costó varios intentos, pero finalmente consiguió un buen trabajo con un excelente horario que le permite disfrutar de su pasión: la escritura. Renunció a ser directivo con grandes responsabilidades para poder tener un trabajo con menos presión que le permitiera compatibilizar su profesión, que le encanta, con unos ingresos que le permitan vivir. Ha adaptado su economía a su «realidad». Siempre que nos vemos o hablamos empieza con un «¿qué pasa, chaval?», y es que ambos seremos «chavales» para siempre, aunque nos conocimos hace más de veinte años, cuando verdaderamente éramos unos chavales.

Manuel se enamoró de su deporte, el rugby, desde niño. No solo por la actividad física, sino por los valores que encarnan esta práctica deportiva: compañerismo, apoyo, ayuda, deferencia por el rival…, y también por el «tercer tiempo», que, para quien no esté metido en este mundo, se trata de confraternizar con compañeros y a veces con rivales tomando «algunas cervezas». Manuel era un buen profesional de recursos humanos, tenía buenas habilidades y se le daba bien, pero no dejaba de pensar en el rugby. Por eso decidió afrontar un proyecto profesional para llevar las enseñanzas del rugby a los niños y las escuelas. Buscó apoyos. Gestionó cursos. Hizo campamentos. Todo por el deporte que ama. Encontró gente que le ayudó y otros que no, pero nunca se ha rendido. Hoy quiere ser alguien que viva del rugby, un deporte aficionado y con poca incidencia en nuestro país. Está convencido de que podrá hacerlo… algún día.

Estas historias aún no han terminado, y siguen avanzando. Han supuesto un punto de inflexión para una «permuta trascendente». A lo que te invito es a observar el **cambio** para que no nos produzca temor. Es una oportunidad a una nueva vida, o a una enseñanza que nos permita evolucionar.

Tener motivos

La persona desmotivada y holgazana puede ser difícil de llevar. Pero hay que tener cuidado con una especie más peligrosa: **el tonto motivado.**

La motivación es clave para realizar tareas o llevar a cabo una misión.

En todos mis proyectos personales y profesionales siempre he preferido tener a personas motivadas cerca de mí, ya que me han ayudado a empujar y sacar adelante los objetivos.

Lo peligroso de alguien motivado con pocas aptitudes para realizar las tareas es **no enseñarle.**

Dejar que alguien con motivación suficiente se estrelle por tener desconocimiento denota carencia de liderazgo.

La motivación es la base del empeño hacia la consecución de algo.

Estar motivado viene de **tener motivos.** ¿Te imaginas tener siempre motivos para hacer algo? Seriamos imparables.

La «motivación permanente» está al alcance de muy pocos. Algunos privilegiados tienen la energía suficiente para encontrar motivos constantemente. Se llama **constancia y perseverancia.** Otros lo denominan «fuerza de voluntad». El resto de los mortales debemos estar examinándonos interiormente y buscar los motivos para poder alcanzar nuestras metas.

Actuar con motivación, sin saber los motivos, nos puede llevar a ser «tontos motivados». Necesitamos saber «por qué» si no queremos caer en ello.

Parafraseando algunas escenas de la película *Forrest Gump,* «tonto es el que hace tonterías». Y hacer tonterías equivale a cosas sin sentido, sin un rumbo, simplemente por hacerlas.

Por eso la **motivación** tiene que ver con el **motivo o motivos** por los que hacemos algo.

Trabajar en lo que nos apasiona

«Trabajar duro por algo que no te importa se llama estrés. Trabajar duro por algo que te importa de verdad se llama pasión» **(Simon Sinek).**

¿Es posible trabajar en aquello que nos apasiona? ¿Depende de nosotros?

En mis charlas a personas que se van a incorporar al mercado laboral en universidades y escuelas de negocio siempre digo la misma frase: **«Cuidado con el primer trabajo que elijáis, puede joderos la vida».**

Nuestras primeras decisiones profesionales pueden marcar nuestro rumbo profesional. Muchas personas que comienzan en algo porque «les cogieron en ese puesto» continúan su carrera con las mismas funciones y un buen día ven cómo llevan años haciendo lo mismo y no es lo que les gustaba o les hacia ser fervorosos.

Las primeras decisiones profesionales, tanto en puestos y funciones como en tipos de empresas, pueden condicionar nuestro futuro, por eso es importante hacerlo de manera que sea lo más adecuado.

Las generaciones Baby Boom o Generación X, a la que pertenezco, estuvieron educadas en dos premisas básicas para nuestro futuro laboral, condicionadas por las creencias de nuestros padres:

- «Estudia una carrera universitaria, que seguro que encontrarás trabajo».
- «Haz algo que tenga salida profesional» (te guste o no te guste).

Por eso nuestras generaciones, y algunos de la Generación Y, están llenos de titulados en ADE (Administración y Dirección de Empresas, que antiguamente se llamaba Empresariales), porque se cree firmemente que estos estudios tienen «muchas salidas».

Otra cosa que nos marcó a mi generación es lo denostada que estaba la **Formación Profesional**, cosa que hoy en día está cambiando, afortunadamente.

¿Pero qué pasa con estudiar o prepararse en aquello que te apasiona?

Uno de los obstáculos que tuvimos que vencer es que nuestra generación «no tenía claro lo que le entusiasmaba». Queríamos sacar nuestros estudios adelante y luego una carrera universitaria que más o menos nos gustara y que tuviera «salida profesional». No nos preparábamos para nuestro futuro profesional ni teníamos la madurez de saber lo que queríamos, en algunos casos, como fue mi experiencia personal.

Nos planteábamos trabajar, no dedicarnos a una profesión que nos entusiasmara. Estábamos condicionados por la situación de crisis y desempleo que se vivía en los ochenta y noventa. ¿Te suena? Datos de paro juvenil alto, crisis económica, desesperación por encontrar empleo… Al parecer, todo es cíclico y vivimos circunstancias similares cada cierto tiempo.

La diferencia con la actualidad es que las nuevas generaciones tienen otra **actitud**. Sí se plantean trabajar en lo que les encanta y bajo las circunstancias de vivir entusiasmados con lo que hacen.

Los planes de estudio tanto en formación profesional como en la universidad están intentando acercarse a la realidad del mercado laboral y sus demandas profesionales.

Cada año surgen «**nuevas profesiones**» a las que hay que dar solución en el mercado laboral y que necesitan una formación específica y adaptada. Por eso la formación debe adaptarse a las nuevas necesidades y no anclarse en los viejos programas educativos y planes de estudio.

Entonces ¿estamos condenados a trabajar sin estar apasionados o en lo que nos guste?

La respuesta tajante es NO.

He observado durante mis más de veinticinco años de carrera profesional cómo muchas personas se han **reinventado**. Algunos por necesidad, al perder su puesto de trabajo o caer en una depresión por estar atrapados en un trabajo que detestan. Otros por pura vocación de «hacer algo que les ilusione» y poder experimentar dedicarse profesionalmente a aquello que les hace latir fuerte su corazón.

Las claves para vivir apasionado en el trabajo son:

— Tomar la **decisión** y tener la **determinación** para hacerlo. Esto significará tener que **renunciar** a algo que creemos que es importante o nos da seguridad: nuestro actual trabajo, no hacer todo aquello que sabíamos hasta ahora, iniciarse en espacios nuevos de incertidumbre… A todo eso lo han llamado algunos expertos «**salir de la zona de confort**»

— La otra clave es **formarse, formarse y formarse**. Hay que investigar, aprender y educarse en aquello que nos mueva a la acción para ser un experto y poder gestionar nuestra vida profesional con ello. Si te gustan las mariposas, lee todos los libros que puedas, acude a sitios donde estén, investiga sobre ellas, haz lo que tengas que hacer para poder ser uno de los mejores profesionales de mariposas que pueda existir.

— Ponte en contacto con **personas que ya lo están haciendo**. Aquellas personas expertas en tu tema y que son referentes, escríbeles, intenta quedar con ellas, gestiona contacto a través de redes sociales, vete a verlos a conferencias o eventos. **¡¡Muévete!!**

- Rodéate de personas que te animen en tu proceso de **cambio.** Es importante recibir refuerzos positivos cercanos. Seguramente algunas personas de tu entorno más próximo te digan cosas como: ¡¡No lo intentes!! ¡¡Ten cuidado!! ¡¡No te arriesgues!! Son personas que seguramente quieren protegerte, aunque ellas no se atreverían a cambiar. Escúchalas, pero también escucha a tu corazón, y a otras personas que te digan: **¡¡Sí se puede!! ¡¡Vas a conseguirlo!! ¡¡Ánimo, te apoyo!!** Esas personas nos dan un impulso que nos acercarán a nuestra meta. Incluso puedes buscarlas en personas que han seguido el mismo trayecto y lo consiguieron. Se reinventaron y ahora se dedican a aquello que les hace «volar». Están más cerca de lo que crees.

- Para iniciar nuestro camino hacia nuestros sueños debemos tomar decisiones importantes. Son **momentos de la verdad** que nos pueden hacer ser más libres y poder vivir **apasionados.**

Éxito y fracaso

«Hemos desechado la **utopía** porque la consideramos imposible».

«El perfeccionismo es una muerte lenta».

«Solo los tontos son soberbios».

Para una persona de la generación Baby Boom educado en la «cultura del éxito» o, más bien, «si no tienes éxito, es que eres un fracasado», este capitulo forma parte de mi vida y de la de algunas generaciones próximas a la mía.

Si no estudiabas en la universidad, nuestros padres lo consideraban un «fracaso».

Afortunadamente, algo ha cambiado.

La filosofía del «éxito o fracaso» aún permanece en algunos seres humanos. Y eso les hace sufrir.

¿Cómo afrontar esta situación? En este capítulo puedes obtener algunas respuestas.

Alcanzar la utopía

Si analizamos la definición de **utopía** la Real Academia Española **(RAE)**, nos ofrece dos alternativas:

1. f. Plan, proyecto, doctrina o sistema deseables que parecen de muy difícil realización.

2. f. Representación imaginativa de una sociedad futura de características favorecedoras del bien humano.

Utopicus es aquel lugar en el que **aún no estamos.** Algunos lo definen como el *«no-lugar».*

Es decir, la **utopía** es aquello que **«aún»** no tiene lugar.

¿Y qué puede hacer el ser humano para llegar a ese lugar donde no está pero que le gustaría alcanzar?

Muchos filósofos y sabios se han preguntado por esta cuestión, reflexionando y pensando sobre cómo alcanzar ese lugar «idóneo».

Puedo destacar a **santo Tomás Moro,** que describió en su *Utopía* una sociedad ideal, pero inexistente, como un sitio perfecto para vivir en sociedad y políticamente ideal para todos.

Me gustaría retarte a que **aspires a la utopía.** Que quieras alcanzar ese «estado ideal» de plenitud que toda persona debe ambicionar. Siempre he creído que ser ambicioso es querer conseguir algo bueno, algo que nos mejore, algo que nos perfeccione, sin tener que pisar a los demás en ese camino.

Por eso te invito a que **vivas el presente para querer estar en un futuro mejor.** Se trata de un **camino** que debes iniciar de inmediato, y donde tus deseos y anhelos puedan llegar a cumplirse.

Se trata de **visualizar** aquello que queremos que se convierta en algo que nos mejore la vida y nos ponga en **plenitud.**

Para ello te propongo que te **ilusiones,** o si alguna vez lo has estado —que estoy seguro de que la mayoría de las personas han pasado por ese estado emocional—, que te vuelvas a entusiasmar. O como dice mi admirado **Luis Galindo,** «re-ilusiónate». Se trata de recuperar aquello que queremos **SER** y en donde queremos **ESTAR.**

¿Por qué dejar que pasen los días sin más? ¿Por qué mantener una actitud de **esperar** a ver qué pasa en nuestra vida?

Solo hay una vida, y debemos vivirla en plenitud y aspirar a alcanzar esa **felicidad plena.** Es lo que nos merecemos y a lo que debemos estar dispuestos a llegar.

Se trata de abrir la vida a la **esperanza**, pero a una orientada a la **acción**, donde hacemos algo para conseguir algo y no esperamos a que ocurra «porque sí».

Se trata de dominar nuestra vida orientándola a lo que queremos **SER** y en donde queremos **ESTAR**. Estos son los verbos que debemos conjugar.

Por eso te propongo algo simple, sencillo, pero que a la vez requiere un esfuerzo: hay que aspirar a la **utopía**.

La educación en el éxito y el fracaso

Es curioso ver cómo a los niños se les intenta inculcar en su infancia que no hay fracaso ni errores, que solo deben aprender y experimentar. Pero en cuanto la educación sube el nivel por rango de edad, entonces sí que viene el «éxito» de aprobar, o incluso de ser el mejor en las notas, frente al «fracaso» del suspenso, de notas mediocres, o la amenaza de «repetir curso» y tener imagen de perdedor frente a sus compañeros y familia.

En mis conferencias suelo hacer un gesto de una L con los dedos sobre mi frente. Es algo que no explico si no me preguntan. El significado es *laugh* (risa), y trato de hacerlo para saber lo importante que es hacer reír y compartir con risas.

Cuando le enseñé el gesto a mi hija pequeña, cuando ella tenía ocho años, me dijo que eso en su colegio significa *loser* (perdedor) y que suelen hacérselo a alguien en tono de mofa y burla por algo que ha hecho mal o simplemente para denigrarlo. Sobre esta historia saqué algunas conclusiones:

✓ «Qué cabrones son los/as niños/as».
✓ ¿Alguien se transforma en «*loser*» porque otra persona lo dice? En el mundo adulto también existen «niños/as malos/as» que nos dicen qué mal lo hemos hecho, que no valemos para algo, o simplemente que no somos capaces de hacer algo. ¿Sueles escuchar a esos «cabroncetes»? ¿Les das veracidad? ¿Tienen influencia sobre tu vida?
✓ ¿Cuántas veces nos transformamos en lo que dicen otras personas de nosotros?: inútil, raro, incapaz, tonto, estúpido…
✓ ¿Qué valor le damos a la opinión de los demás? ¿Somos lo que nos dicen?

Mi hija también me habló de los que son «ganadores», que suelen ser los que sacan mejores notas, se relacionan mejor o son admirados por los otros niños. Claro, esto conlleva que los demás son «perdedores».

De nuevo, la cultura del «perdedor» y «fracasado» como algo a evitar se extiende.

¿Podemos influir y hasta educar a nuestros hijos para cambiar esta cultura de éxito o fracaso?

Esto tiene su repercusión en la edad adulta. Ya que nos importa mucho lo que digan los demás sobre nosotros, y sobre todo si tienen cierta «influencia» sobre mis pensamientos. Mis jefes, mis compañeros de trabajo, mis padres, mis amigos… Toda aquella persona a la que otorgo un poder sobre mi forma de pensar puede condicionar mi actitud y mis comportamientos.

En mis conferencias suelo afirmar que prefiero dar menos importancia a lo que opinan los demás y más importancia a lo que me digo yo a mí mismo.

No discuto con quien me ofende, simplemente le ignoro.

Como me dijo un buen día el cómico **Antonio Bonilla**, cuando le llamaron «payaso», él contestó: «Muchas gracias. Eso es lo más bonito que me han dicho en mi vida».

Mi buen amigo **Manuel Feijóo Aragón**, que viene de la familia Aragón y es nieto del mítico **Miliki**, siempre defiende la profesión de «payaso» como algo verdaderamente importante y digno. Hacer reír a los demás es un privilegio al alcance de muy pocas personas.

Por eso, cuando a mí me dicen también «payaso» o que «hago payasadas» me lo tomo como un elogio. No lo escucho como una ofensa, sino como un piropo, aunque el tono sea agresivo. Mis oídos están acostumbrados a esa palabra como positiva.

El fracaso es una «gran mierda»

Hay un **mantra** extendido en todos nosotros: «**El fracaso es un aprendizaje. No te rindas. Sigue intentándolo**».

Pues va a ser que NO. Se puede sacar un aprendizaje del fracaso, eso nadie lo duda. Pero de lo que estoy totalmente seguro es de que el fracaso es una MIERDA, una grandísima y enorme MIERDA. Y suele dejarnos mal cuerpo y sabor de boca. Por lo que si podemos evitarlo o no sufrirlo, nos encontraremos mucho mejor.

Hay mejores maneras de aprender: leyendo un libro (este, por ejemplo), recibiendo formación, investigando, curioseando, observando a otras personas, preguntando a expertos... ¿Creemos que es necesario aprender fracasando?

¿Por qué estamos ensalzando el fracaso?

¿Tan influenciables somos sobre esa «cultura del fracaso como aprendizaje» que los americanos estadounidenses ven como algo necesario para crecer? Por favor, preguntad a los *homeless* (personas sin hogar) extendidos por todo Estados Unidos qué opinan sobre el **fracaso** como «**oportunidad para aprender y crecer**».

Yo te propongo que **no idealices el fracaso como gran aprendizaje**. Si finalmente fracasas, intenta sacar algo de ello. Pero, en la medida de lo posible, **no busques la manera de fracasar**. Y si llega, mi propuesta es que lo **desdramatices**.

Ha ocurrido, podías haberlo hecho mejor, pero no te tortures. Deja de martirizarte, deja de fustigarte, ha sido una gran MIERDA, así que GRITA bien fuerte la mierda que ha sido, maldice, golpea objetos, y cuando te hayas desahogado, entonces continúa.

Si por el camino has aprendido algo, ¡¡estupendo!!, pero si no ha sido así, no te preocupes, no te **agobies**. Tu fracaso forma parte de los **errores** que tendrás a lo largo de la vida. ¡¡RÍETE DE ELLO!! ¡¡DESDRAMATIZA!!

Aunque no hayas aprendido nada, siempre podrás mirar atrás y decir «¡¡qué enorme ESTÚPIDO fui!!». Y eso te aliviará y ayudará a seguir adelante, podrás mitigar el dolor con la risa.

Resignarse en el FRACASO no es lo que te propongo. La respuesta es reírte de ese farsante, durante un rato al menos, y luego **DEJARLO IR.**

En eso consiste DESDRAMATIZAR. En **reírse** y **dejar** Ir.

El éxito

¿Qué es el éxito? ¿Qué baremos utilizamos para catalogarnos a nosotros mismos de exitosos o fracasados?

El éxito puede hundirnos, y su búsqueda nos puede convertir en amargados.

Como me dijo un día un *coach*: «Que un éxito de mierda no nos joda la vida».

Si vinculamos éxito con el dinero, debemos tener en cuenta lo que muchas personas ya han comprobado. El dinero no da la felicidad, aunque sí la seguridad. Cuando no lo tenemos, creemos que estamos en la zona de incertidumbre.

Por eso, me acuerdo en ocasiones de la siguiente frase que vi en un meme en internet: «El dinero es como el papel higiénico: cuando nos hace más falta no lo encontramos».

Las búsquedas del éxito y la felicidad son dos caminos diferentes, ni siquiera complementarios.

El éxito es como una estrella fugaz, solo dura un momento. Y después deja con un anhelo de volverlo a disfrutar tan fuerte que puede llegar a frustrarnos.

Éxito y drama pueden ir juntos, y he observado que en ocasiones así es.

Si desdramatizar nos ayuda a ser felices, ser exitosos nos engancha al siguiente éxito, sin tregua. Y eso puede degenerar en la ansiedad y la desazón por no conseguirlo de nuevo.

Visualizar el éxito

Cuando tenemos un problema y le damos vueltas, estamos creando círculos viciosos sobre aquello que nos preocupa. Por la noche no dejamos de pensar en ello, y no podemos evitarlo. Estamos atascados.

Visualizar el éxito consiste en pensar cómo afrontamos una situación en el futuro instalándonos en el éxito que queremos conseguir. Cuando nos vemos siendo exitosos estamos construyendo el futuro éxito.

No solo sirve para distraer a la mente del problema, sino también para empezar a construir el éxito.

Einstein dijo: «La imaginación es más importante que el saber».

En el libro *El monje que vendió su Ferrari* tiene lugar un episodio llamado «**El Secreto del Lago**», en el que el autor nos invita a observar las aguas de un lago e imaginar tus sueños convertidos en realidad. El texto íntegro del libro dice lo siguiente:

Debes emplear un rato cada día, aunque solo sea unos minutos, para practicar la visión creativa. Imagínate cómo te gustaría ser… Visualiza imágenes de todo lo que quieres ser, tener y alcanzar en la vida… Ensaya mentalmente el modo en que gobernaras tus actos… Tu mente tiene el poder magnético de atraer hacia tu vida todo aquello que deseas conseguir… Pon imágenes maravillosas en los ojos de tu mente.

Viajar y visualizar

¿Cómo nos encontramos cuando vamos a hacer un viaje? Sobre todo, si es elegido y de ocio, nos sentimos entusiasmados, con expectativas, ansiosos de conocer, de experimentar, de **vivir**.

Algunas personas afirman que no se pueden permitir viajar. Están pensando en términos económicos normalmente.

Y yo les digo que eso no es cierto, es más bien FALSO.

Si queremos podemos viajar constantemente, a través de fotos, vídeos o lecturas podemos trasladarnos a cualquier lugar del mundo.

A través de la imaginación podemos ir a lugares fantásticos, que no existen, pero que pueden existir en nuestra mente a través de la **visualización**.

Cuando soñamos, estamos viajando, y lo hacemos desde el subconsciente y a través de momentos irreales. Somos capaces de cualquier cosa, hasta de volar.

Por eso creo que si nos lo proponemos, podemos estar **constantemente viajando.** Y esto nos lo podemos permitir en cualquier momento del día.

¿Podríamos viajar hacia nuestra **felicidad?**

Desde hace tiempo vengo practicando la **visualización.**

En el mundo del deporte se trabaja para conseguir resultados exitosos en la práctica deportiva. Si visualizo que voy a saltar la altura, estoy más cerca de hacerlo. Por eso los psicólogos practican técnicas de visualización con los deportistas.

¿Se puede ejecutar la visualización en nuestra vida diaria para alcanzar objetivos? **Yo lo hago.**

Me visualizo presentando este libro ante multitud de personas que me felicitan y quieren fotografiarse conmigo. Me visualizo disfrutando de un éxito profesional que quiero lograr. Me visualizo disfrutando de un día en la playa con mis hijos. Entonces, según la psicología, ¿estoy más cerca de lograrlo? Es posible que sí lo esté, pero hay algo que es seguro y que nadie me puede arrebatar ni dejar al azar: **mientras visualizo, estoy disfrutando, estoy siendo feliz.**

Cuando vemos una película que nos gusta, leemos un libro y estamos absortos por su contenido, vemos un vídeo que nos remueve o nos hace reír..., en esos momentos nadie puede arrebatarnos el gozo que sentimos.

Entonces, si podemos crear momentos felices, como ver un amanecer o un atardecer con la temperatura adecuada y en el sitio correcto, a un coste brutal de 0 euros, entonces sí que podemos crear nuestra felicidad.

A esta teoría de «**momentos felices que nadie nos puede arrancar**» se une la posibilidad de cumplir nuestros sueños a través de la **visualización.** Ya hemos sido exitosos en ese momento, por lo que podemos construir el **viaje hacia el éxito.**

La ensoñación y los sueños

Existen diferencias entre **la ensoñación** y **los sueños.**

En el **sueño** me dejo llevar. No tengo el control. No soy consciente. Me traicionan mis creencias. No tengo control sobre lo que pasa. Puedo soñar bonito o soñar con algo agobiante.

La **ensoñación** es consciente, ya que se produce en un estado de relaja-ción-meditación en el que estás despierto. Sé que no estoy soñando. Que estoy aquí y ahora. Dirijo mis pensamientos. Visualizo el mejor futuro posible. Dejo lugar a la imaginación. Soy más creativo. Y sobre todo creo que es **posible** de realizar.

Por eso, cuando quiero visualizar un nuevo proyecto, practico la **ensoñación**. Me situó en el mejor escenario posible y empiezo a reflejar imágenes de éxito y triunfo.

A la hora de empezar a escribir este libro me puse en una ensoñación de éxito. Me vi siendo un *best seller*. Haciendo una presentación divertida rodeado de ami-gos y gente que me quiere. Obteniendo el reconocimiento de mis compañeros de profesión. Obteniendo un premio.

Esto me ayuda a situarme como «triunfante» y realizar el camino desde la óptica de la victoria y el logro.

La **ensoñación** nos acerca más el objetivo que la «idealización» de nuestros sueños. Por eso es necesario hacer este ejercicio de «deseo» desde una posición **realista-optimista**, donde analizo lo que me rodea y mis posibilidades con la **«esperanza»** orientada a la acción de que puedo conseguirlo.

El dinero viene y va

«Poderoso caballero es don Dinero». Su poder es capaz de modificar nuestro estado de ánimo y sumergirnos en sentimientos de tristeza, rabia, ira, alegría, euforia o preocupación. ¿Conoces a alguien que tenga tanto poder?

He conocido muchas personas que sufren por el dinero, tanto si lo tienen, porque no quieren perderlo, como si no lo tienen, porque sufren su ausencia.

Contéstate a las siguientes preguntas:

* ¿Qué significa el dinero en tu vida?
* ¿Te agobia su escasez en tu vida?
* ¿Es un objetivo principal en tu día a día?

Las respuestas marcarán tu relación con el dinero, pero también contigo mismo. Tu autoconocimiento sobre este asunto «capital» marcará tus decisiones y tus comportamientos ante lo que te vaya pasando en la vida.

Alguien me dijo que el dinero te ayuda a hacer tu vida más fácil, aunque nosotros podemos complicárnosla.

En todas las charlas a potenciales emprendedores que he tenido a lo largo de mi carrera profesional suelo repetir la misma frase: **«En un proyecto empresarial hay dos tipos de problemas: cuando no hay dinero y cuando hay dinero (sobre todo si son varios socios)»**.

Si el dinero es un problema en nuestra vida, tanto por su ausencia como por su reparto, ¿por qué no afrontamos cómo solucionar los dilemas que trae consigo? No hablo de solucionar su escasez para atraerlo, de eso ya están las librerías llenas de «libros de consejos». Me refiero a enfrentarnos a los momentos en que debamos tener emociones sobre esta circunstancia a favor o en contra.

La **gran paradoja** de nuestra sociedad nos golpea cuando vemos que los muy ricos parecen ser infelices y los muy pobres, desafortunados y resignados.

Como me dijo un buen psicólogo, te animo a disfrutar de las cosas gratis de la vida: un atardecer, un te quiero, una mañana soleada, un arco iris… Esto está al alcance de unos pocos; mientras algunos observan y disfrutan la vida, otros cuentan… su dinero, o lo que consideran escasez de este.

¿Por qué admiramos?

Con este enunciado escribí el que en estos momentos es el **segundo artículo más leído en mi blog**.

Fue una reflexión sobre la situación de admirar, para saber qué vemos en otros, qué nos hace compararnos con ellos o nos produce maravilla como forma de vida. Hoy en día sigue siendo uno de mis artículos más leídos desde que inicie mi blog.

Te dejo con el artículo íntegro:

¿A quién admiras? ¿Por qué razón lo admiras? Cuando se produce esta pregunta, se reproducen respuestas recurrentes. Personajes (¿indagamos bien en la persona?) con historias fabulosas y cuya mística trasciende a toda la humanidad.

Gandhi, Teresa de Calcuta, Dalái Lama… suelen ser referentes por su impacto en la historia de la humanidad.

Entonces ¿cuáles son las razones para admirar a alguien?

*En nuestra infancia, adolescencia y juventud, incluso muchos en edad adulta, admiramos a aquellos referentes en el mundo del deporte y de la música, por lo bien que nos lo hacen pasar, por su habilidad técnica, y seguramente por ese espíritu de «**have fun**» que perdura desde la época de los gladiadores romanos que se reunían en torno a un coliseo, y hoy en día son grandes coliseos los que albergan grandes conciertos o eventos deportivos.*

Además, la televisión ha universalizado a nuestros ídolos y referentes, ya que podemos verlos en todo el planeta, a cualquier hora, y en estado de bucle, repitiéndose una y otra vez a través de los medios audiovisuales.

Esa admiración que proviene de la pasión por lo excitante y lo emocionante seguramente viene de nuestros ancestros, cuya genética por la competición y los «ganadores» hemos heredado a lo largo de la historia.

Pero en la edad adulta, cuando empezamos a saber qué queremos y qué no queremos, empezamos a admirar a personajes históricos, pero también a personas cercanas. Es por lo que la admiración deja de ser una idolatría por unos hechos conocidos, sin profundizar en la personalidad de la persona admirada, y gestiona la cercanía de aquella persona cuyos actos son ejemplos para nosotros.

Si profundizamos en las razones por las que admiramos, se repiten unos patrones similares:

— La persona admirada tiene «éxito». Este éxito puede ser por logros, por reconocimiento, por ser innovador, o porque ha conseguido acumular riquezas

*y abundantes logros económicos. Cómo medimos el éxito tiene una parte material y objetiva. ¿Pero cómo se mide el éxito personal y subjetivo? Aquellas personas que han logrado tener una vida plena y feliz, con valores cualitativos, y sin importar la acumulación cuantitativa de bienes materiales. Las personas que admiran cualidades en lugar de riquezas suelen tener un sentido más emocional de la vida. Si admiramos cuantitativamente, personas como **Amancio Ortega** nos viene a muchos a la cabeza.*

- *La persona admirada es un ejemplo para seguir. Es alguien cuyas cualidades humanas le hacen ser un ejemplo para todos. Suele coincidir con emociones positivas como honestidad, generosidad, valores éticos, cercanía y sobre todo antepone el beneficio de los demás al suyo propio. Son aquellas personas que nos gustaría ser, a las que nos gustaría parecernos, a aquellas que comparamos con nuestros defectos y destacan sus **virtudes**. Un posible ejemplo seria **Vicente Ferrer**, cuya labor en India ha trascendido a todos.*
- *Suele ser un gran Comunicador. En la era de la información, el siglo XXI deja que admiremos a aquellos comunicadores que nos emocionan, que nos hacen vibrar, que desprenden poder en sus palabras y que pueden mover masas con unas pocas frases encadenadas. Quién no recuerda frases como «I have a dream», del famosísimo **Martin Luther King**, que supuso un lema para el fin de la segregación racial en Estados Unidos. A estos grandes comunicadores los etiquetamos como **líderes**. Y es que alguien puede ser admirado sin ser un excelente orador, pero esos casos son menos que los que destacan por su forma de expresarse públicamente. De nuevo los medios audiovisuales nos acercan a estos «admirados».*
- *Admiramos a quien cambia las cosas, siendo un transformador. La realidad que percibimos nos parece difícil de cambiar. Aquellas personas con cuyos actos se produce un cambio radical de una situación mejorable, a vista de todos, suelen ser admirados. Se les cataloga como **innovadores y disruptivos** (término de moda últimamente) y lo que suelen hacer es **transformar** el mundo que conocíamos y ejercer un influjo en muchas personas. Últimamente un ejemplo claro de esto es **Steve Jobs**, quien a través de la tecnología nos llevó a una dimensión inimaginable por la gran mayoría de los humanos, pudiendo alcanzar una sociedad diferente después de su impacto.*

*Si buscamos personas conocidas o que han trascendido, podemos reunir un buen número de nombres. El otro lado de la admiración es la **cercanía**, aquellas personas que conocemos o hemos conocido en un entorno personal durante un* *periodo de nuestra vida. Padres, profesores, familiares o amigos suelen encabezar este listado.*

*En algunas de mis muchas entrevistas de trabajo he detectado la admiración «a posteriori» de personas que no fueron admirados en un momento determinado, pero con la **perspectiva del tiempo** se les otorga un gran mérito a sus acciones. Algunas personas muestran admiración por sus **antiguos jefes o jefas** que han marcado su trayectoria profesional. En alguna ocasión se menciona la exigencia y los malos momentos que les hicieron pasar, pero, visto en perspectiva, una vez superado ese instante, y con la madurez que da el tiempo y alejamiento de la acción cercana, suelen ver a esos **mentores** como referentes en su carrera profesional, y cuya admiración les suele hacer mantener el contacto, o bien visualizar una imagen ideal de esa persona.*

Y tú ¿por qué admiras?

Si quieres saber cómo mejorar, pregunta

¿Cómo puedo corregir mis errores? ¿Cómo puedo mejorar? ¿Por qué me sigo equivocando?

Si crees que eres un desastre, pregunta.
Si algo te sale mal, pregunta.
Si tu comportamiento hiere a alguien y eso hace sentirte mal, pregunta.

¿Por qué no utilizamos las preguntas a los demás para mejorar?

Hay diferentes causas posibles de comportamiento que tenemos con la manía de **NO preguntar**:

– Nuestro EGO no nos permite preguntar porque lo consideramos humillante. Aleja tu ego para poder mejorar.

– Nos da **MIEDO** lo que nos respondan. Porque creemos que nos van a herir. Utiliza la **humildad**. Pregunta primero a los que te quieren; su respuesta será honesta porque te aman, y seguramente lo harán sin herirte.

– Creemos que tenemos la **RAZÓN**. Por eso hace tiempo decidí que **no** quiero tener la **razón**, quiero la **VERDAD**. La razón ha acabado con familias y amistades, y ha generado guerras, odio y resentimiento. Los SINCERICI-DAS generan RENCOR.

Y para preguntar luego hay que escuchar. De manera honesta y activa. Atentamente. Sin prejuicios. Sin interrumpir, **con humildad**. Sin justificarse. Con actitud hacia la **transformación**. Hacia la mejora.

Y después de escuchar, ACÉPTALO y **repregunta** sobre aquello que pueda mejorar tu aprendizaje.

Dejar que te importe lo que digan de ti los demás

Alguien me dijo alguna vez que se sentía observado por las personas que le rodean y que sentía que hablaban a sus espaldas. Lo ilustró con unas palabras que parecen sacadas de una novela de detectives: «Los demás nos vigilan». Esta paranoia sobre el control que creemos que se ejerce sobre nuestra vida y sus actividades en un entorno social puede llegar a obsesionar al que la sufre.

Partamos de una premisa irrefutable. En la sociedad en la que vivimos **todos hablamos de todos.** El ser humano tiene un «cotilla» dentro que invita a hablar de otras personas con otras personas, normalmente cuando el aludido no está presente. Esto ocurre así y seguirá ocurriendo, y no podemos hacer nada al respecto.

Asumir y aceptar las críticas hacia nuestra persona, bien sean estas directas cuando alguien te las dice a la cara, o indirectas cuando te comunican que alguien ha comentado algo sobre ti a tus espaldas, es la primera piedra para construir el edificio de tu **libertad** frente a la opinión de los demás.

Asumir que alguna vez vamos a ser cuestionados por nuestra forma de comportarnos es descubrir que nosotros también lo hacemos con los demás.

Nadie te vigila, forma parte de la idiosincrasia de las redes sociales (no me refiero a las de internet, sino a las de relación personal) que tejemos con los demás. Que otras personas cuestionen la forma en que nos comportamos forma parte de nuestra vida.

Si ACEPTAS este sencillo axioma, empezarás a sentirte mejor y más tranquilo.

La segunda cosa que puedes trabajar es que NO todo es una **agresión** a tu persona.

Una crítica puede esconder muchas cosas: envidia, admiración, cariño, ganas de ayudar, o simplemente desahogo de la otra persona.

Cuando alguien hace una crítica hiriente y que consideras injusta, te propongo el siguiente planteamiento:

✓ «Me ha sentado mal lo que me ha dicho, pero no le doy importancia porque no me reconozco en su crítica injusta».

✓ «Es posible que lo que ha dicho esa persona hable más de cómo se siente y de sus circunstancias que lo que diga de mí».

✓ «Puedo plantearme que parte (o todo) de lo que dice sea cierto y tenga razón. Quizás deba reflexionar cómo cambiar mi comportamiento si eso me beneficia».

Si aceptas que todos hablamos de todos (tú también) y que las críticas a veces no son justas, pero puedes plantearte que si lo son, debes cambiar algo, tendrás un bonito edificio de **libertad y aceptación** que te hará más pleno y disfrutarás más de la vida.

«Método Vale Vale» para paliar a los agresores verbales

Me molestan profundamente las personas que quieren imponer su criterio de malas maneras. Aunque tengan cierta jerarquía en la situación (jefes, familiares, parejas o cualquier persona que circunstancialmente tenga un poder en la situación con nosotros), querer imponer con malos modos con formas ofensivas o gestionando el tono de voz elevado o los reproches o la amenaza ha sido algo que no he podido soportar y tolerar nunca.

Es por ello por lo que desde hace muchos años utilizo una técnica que me funciona y que hoy comparto con el universo. Se llama el «Método Vale Vale».

Concretamente consiste en zanjar la tensa situación dando supuestamente la razón al «agresor verbal». Es como decirle: «Ok, lo he entendido, dejémoslo ya», para intentar calmar el temporal y buscar otro momento mejor para afrontar la situación. A continuación, una vez relajado el ambiente, cuando toca el momento suelo hacer lo que me da la gana o creo conveniente, sin hacer caso a las «supuestas» indicaciones de la persona que con sus formas quería imponer su criterio sobre mi persona. Quien ha querido imponer y no convencer se lleva mi rechazo absoluto.

Esta técnica no suele funcionar si hay que hacer algo próximo en el tiempo, como, por ejemplo, seguir un camino o tomar una decisión inmediata de gestionar o hacer cualquier acto inmediatamente después de la «petición grosera». Más bien funciona cuando hay que hacer algo en un tiempo posterior.

El mayor inconveniente de esta técnica es que hay que dar explicaciones posteriores de por qué no se ha realizado el acto «deseado» por la otra persona. Si en ese momento la persona está en calma, se le puede explicar que en ese momento no estaba en situación de confrontar opiniones, debido a su absoluta desazón y falta de empatía, por decirlo suavemente. Se le debe explicar a la persona que no estamos dispuestos a hacer algo de manera impuesta o con lo que no estamos de acuerdo, y ni mucho menos sin un diálogo para confrontar opiniones y nunca bajo coacción y una supuesta imposición agresiva y maleducada.

Algunos me diréis: «Pero ¿qué pasa si quien quiere imponer su criterio tiene un poder sobre ti irrenunciable y las consecuencias de no seguir sus indicaciones pueden ser nefastas para nuestra persona?».

No podemos obviar cómo funciona el mundo. El poder ejerce presión sobre las personas que lo padecen, y en ocasiones estos se ven obligados a seguir las instrucciones, a pesar de su disconformidad. Esta es la historia de la humanidad por sí misma. Solo unos cuantos valientes han desafiado al poder, y a veces han pagado un precio muy alto, incluso con su vida. No digo que te «inmoles» si no estás en disposición de desafiar al poder, pero sí que generes un habito de condescendencia con el poder para luego ejercitar las acciones con un dialogo más sereno y exento de esa tensión. Si eso no funciona, siempre puedes hacer lo que te dé la gana y asumir las consecuencias, estando tranquilo contigo mismo.

Se trata de involucrarnos con nosotros mismos y firmar un pacto de no agresión con el «poderoso violento» para que esta agresión se minimice con el paso del tiempo.

En ocasiones, de personas que hacen «caso omiso» a las instrucciones se dice que «van a su bola». Yo voy a mi bola cuando recibo una orden agresiva, o un deseo de sumisión que no estoy dispuesto a tolerar (con la edad va a peor mi desobediencia) y con la que me autoexijo mi libertad de poder decidir sobre lo que concierne a mi persona.

En mi entorno personal vengo gestionando estas situaciones con un «di lo que quieras, que yo haré lo que me dé la gana». Y las personas más cercanas cuyo conocimiento personal hacia mí es grande ya saben a qué atenerse. Quien quiera «imponer a la fuerza» su criterio conmigo lo lleva claro. Puede parecer que lo haré, pero si no estoy de acuerdo, os aseguro que no moveré un solo dedo ante una petición insolente y grosera.

Los maleducados, groseros, faltones, agresivos y exentos de empatía no pueden imponer su criterio a base de faltas de respeto (ni mucho menos insultos) o tonos de voz elevados. Su falta de civismo y consideración por las personas no puede ser «premiado» con el cumplimiento de sus deseos.

Dar la razón a alguien a sabiendas de que no vas a cumplir lo dicho puede parecer una técnica evasiva y algo «cobarde» por no enfrentarse al problema directamente. Pero, como dice un ser muy querido por mí, hay duelos que hay que aplazar para no salir mortalmente heridos, ya que algunas batallas no deben ser libradas según qué momentos.

Cuidado en las discusiones de pareja en momentos de «calentón», ya que se pueden decir cosas de las que uno puede arrepentirse y es mejor aplazar la batalla y retirarse a las barricadas que gestionar una guerra que termine con grandes pérdidas.

Soy un amante de **la persuasión y el convencimiento** con argumentos en un tono dialogante y respetando la opinión de la otra persona. El incivismo y los malos modales me resultan de un rechazo total.

Y es por eso que te invito a probar la metodología «Vale Vale» para poder aparcar batallas que solo conducen a enfrentamientos posiblemente irreconciliables.

Vi que este método puede funcionar cuando descubrí esta frase del escritor **Christopher Paolini:**

«No puedes pelear con todos los idiotas del mundo. Es más fácil dejarlos creyendo lo que quieren creer y luego engañarlos cuando no estén prestando atención».

Arriésgate

¿Te acuerdas cuando decidiste pasar a la acción para conquistar a tu pareja? Da igual que sea la actual u otra anterior. Ponte en situación. ¿Cómo te sentías? ¿Qué sensaciones tenías? ¿Tenías dudas? ¿Sentías miedo? ¿Vislumbrabas el posible fracaso?

Y cuando culminaste tu «conquista», ¿qué sentiste al lograrlo? ¿Te sentías eufórico/a? ¿Como estar en una nube? Podrías sentir satisfacción, plenitud, alegría, placer, felicidad… Todas esas sensaciones estaban orientadas a una sola cosa: **te arriesgaste.**

Esto puede extrapolarse a una relación de pareja, a una decisión de trabajo, a una compra de una vivienda, a una decisión de estudiar determinada opción… Arriesgarnos es la capacidad del ser humano para **triunfar o aprender.** Si acertamos, nos sentiremos dichosos y plenos; si fracasamos, habremos aprendido la lección.

Entonces siempre tendremos una «ganancia». ¿Merece la pena arriesgarse?

No conozco a nadie que haya conseguido sus sueños sin correr ningún riesgo.

Vamos a un momento de confidencia. Cuando era niño tenía complejos: ¡gafas grandes, algo torpe (me tropezaba y caía con facilidad)! y poco dotado para los deportes (algo que en la infancia puede ser un problema).

Mis complejos se apoderaron de mí y me dotaron de inseguridad. Mis pensamientos negativos se adueñaron de mí.

Un buen día decidí hacer frente a mis problemas y tomé una **gran decisión**, que aún perdura en mi vida: decidí **arriesgarme** y hacer cosas sin importar qué opinaran los demás. A partir de ahí me pasaron cosas que hicieron de mí la persona segura y plena que soy hoy. Me arriesgué. ¿En qué cosas y oportunidades corrí riesgos (hasta entonces inimaginables para mí)?:

- «Declarándome» a las chicas, cuando antes era incapaz siquiera de hablarles, sin importarme el rechazo.
- Busqué mi felicidad profesional sin importarme las advertencias de fracaso, o darme una leche, que venían de mi entorno cercano.
- Busqué experiencias y prácticas en las que no tenía dominio para poder aprender y desarrollarlas para mejorar mi vida.
- Decidí que siempre quería bailar libremente sin importarme las críticas (mi «Moonwalk» a lo Michael Jackson llegó a ser decente en los años noventa).
- Canté fuerte y alto (aún lo sigo haciendo) por todos lados sin importarme si le gustaba o no a los demás. ¡¡Incluso llegué a presentarme al concurso musical de televisión *Operación Triunfo*!!

El resultado es que viví experiencias únicas, descubrí mis pasiones y descarté lo que no me gustaba.

Las **claves** que descubrí eran las siguientes:

➤ **No me importaba la opinión de los demás.** Ojo, eso no significa que no las escuchara. Se trata de escuchar y aceptar lo que crees mejor para ti y desechar lo que crees que no te va a aportar, siempre con consideración. Y, desde luego, no dejando influir en mis decisiones, sobre todo las vitales, por la opinión de los demás, por muy cercanos a mi persona que estuvieran. Como anécdota personal os diré que mi padre y mi tío se reunieron conmigo, una vez terminados mis estudios universitarios, para que estudiara oposiciones y fuera funcionario, para tener una «vida segura y estable». No les hice caso. ¿Qué habría pasado si hubiera seguido su criterio, que era con la mejor intención posible para mí? Que se habría perdido un emprendedor ardiente, ya que he montado nueve proyectos empresariales en los últimos veinte años. Me dejé llevar por mi pasión en lugar de por la «posible seguridad».

➤ **Me atreveré siempre sin miedo al ridículo.** Buscando hacer cosas, aunque no sea un experto, y con gran curiosidad y ganas de aprender. Me expuse y muchas veces me sentí ridículo, pero no sentí en ningún caso «vergüenza», lo que me cataloga en ocasiones de «sinvergüenza», que, si coges su definición más positiva, es falta de vergüenza.

➤ **Dejaré de tener la razón.** El aspecto de «tener la razón» ha destrozado amistades, separado familias, roto parejas e incluso declarado guerras. Cuando decidí dejar de tener razón me sentí libre de aceptar las opiniones de los demás y respetarlos tal y como son, aunque no comparta sus ideas.

A veces confundimos la **suerte** con el **azar**. A los que logran algo sin esfuerzo les han catalogado como «suertudos», pero la suerte no tiene nada que ver. Es el **azar** el que se cruza en nuestro camino. La **suerte** se trabaja y requiere **acción.** Requiere trabajar para tener **suerte.**

Decía **Thomas Jefferson,** el que fue tercer presidente de Estados Unidos: «Cuanto más trabajo, más suerte tengo».

Vivir la vida «a tope»

Cuando nos preguntan **qué tal estás,** ¿cuáles suelen ser las respuestas habituales? Algunas personas dicen lo siguiente:

○ Tirando.
○ Sobreviviendo.
○ Uf (resoplido).

Muy pocos dicen cosas como:

○ Voy brutal.
○ Estoy a tope.
○ Estoy fenomenal.

Todos pensaríamos que esa persona está loca o va drogada. ¿Qué nos pasa? ¿Por qué siempre nos sentimos abrumados con la vida y no viviéndola «a tope»?

El **desánimo** en las personas cada vez es más habitual, pero no debería ser lo normal. Cuando te resignas a que el desánimo es lo habitual, entonces te vuelves una persona **amargada y frustrada.** Y eso es muy triste.

Cuando te desanimas, pierdes tu **ilusión,** tus ganas, tu energía, tus ganas de vivir y de estar alegre. Pero esto se puede cambiar con **actitud positiva.**

A mi entender, existe una clasificación simple que nos agrupa a todos los seres humanos:

Los que quieren.
Los que no quieren.

Depende de tu actitud. Eso es lo que **marca la diferencia.**

La diferencia entre el **deseo** y la **decisión** está en la **acción.** Somos **tomadores de decisiones.** Las tomamos constantemente, a veces sin pensar o de manera inconsciente, y algunas de esas decisiones pasadas marcan lo que **somos ahora.** Si las decisiones que tomamos van a marcar lo que **somos,** ¿merece la pena hacerlo de manera consciente? ¿No valdría la pena entonces **reflexionar y analizar** antes de tomarla?

Al cerebro le encanta el «piloto automático» y hacer cosas de manera **automática.**

Algunas personas dicen: **«Yo soy así».** Pues **cambia.** Tienes que ser consciente de un hábito negativo y perjudicial para ti o para los demás para ejercer dicho intercambio.

Sigue esta formula: **Reflexión-Descubrimiento-Acción.**

La sociedad actual vive con estrés, ansiedad y preocupación. Todo es urgente. Vamos muy deprisa y sin pararnos. Vivimos en piloto automático.

Para tener una **vida plena** y con **entusiasmo,** todo depende de tu actitud.

La **actitud positiva** transmite a nuestra vida lo que la psicología positiva llama **alegría de vivir.**

Está justificado cuando alguien está pasando por un drama o una situación difícil en su vida que la alegría de vivir no sea lo principal. Con **intensidad, emoción y regocijo** debemos cambiar la situación, y eso debería ser lo **normal.**

Nos gusta la sensación de sentir **alegría.** Nadie elige estar fastidiado. Las personas que viven con gozo y satisfacción tienen menos conflictos con los demás.

Al interpretar las situaciones que nos pasan en la vida podemos hacerlo de manera negativa o positiva. Esa es nuestra posibilidad de **elección.**

Debemos preguntarnos constantemente: **¿Qué me quita la alegría?** Las respuestas y cómo gestionar esa forma de pensar serán la clave para vivir la vida «a tope». Algunos ejemplos:

* Me quita la alegría:
  - Que mis hijos suspendan. ¿Qué hacer? **ACTÚA.**
  - Enfadarme con mi pareja. ¿Qué hacer? **ACTÚA.**
  - Que no me reconozcan en mi trabajo. ¿Qué hacer? **ACTÚA.**
  - Pensar en la muerte. Pues deja de pensar en ella, zopenco.

Nos preocupamos en ocasiones de cosas que no podemos controlar. Para estos casos está la **aceptación.** Estas serían las cosas que podemos hacer ante un problema:

  - Si podemos controlarlo, **ACTÚA.**
  - Si no puedes controlarlo, **ACÉPTALO** y no le des sufrimiento.

¿Quieres una vida **plena** o una vida **plana?** La diferencia es la **ilusión** y **saber lo que queremos.**

Propósito de vida

Propósito de vida: aquello que da dirección a nuestra existencia y que nos impulsa a dar lo mejor de nosotros mismos en el cumplimiento de una meta, que es esa determinación que tenemos. Es como un faro que guía nuestra vida.

«No voy a trabajar, me voy a volar». Esta frase, que puede parecer muy cursi, adquiere significado por quien la dice, ya que se trata de **Alberto**, piloto de avión comercial, que sentía que su trabajo era una **aventura,** ya que le permitía viajar por el mundo, conocer nuevas culturas, ampliar su cultura, entender la forma en que viven en diferentes sitios del planeta y poder ampliar su visión de la vida. Ya sé que todos no somos pilotos. La cuestión es: ¿podemos tomarnos nuestra profesión como una aventura?

¿Cuál es mi propósito en mi vida?

Esa pregunta me la hice hace ya bastante tiempo, allá por el año 2004.

Descubrí por mí mismo que mi finalidad en la vida es que las personas no sufran y que disfruten, que puedan reír, olvidar sus problemas o creer que pueden superarlos. Mi **gran objetivo** es que los seres humanos con los que contacte durante toda mi vida puedan sentir la sensación agradable del regocijo y el gozo a través del humor y de la diversión. Que puedan desdramatizar su existencia para poder solventar los obstáculos.

Durante una etapa de mi vida lo que hacía en ella estaba alejado de mi propósito. Tuve éxito económico, pero no era feliz. Mi motivo salía en mi día a día sin darme cuenta, ya que extendía el humor en mi trabajo y en mis relaciones, pero el móvil económico soterraba mi designio en mi vida. Estaba ahí, pero me empeñaba en esconderlo.

Alguien me despertó de mi letargo y me hizo recuperar mi propósito. Charlando con esa persona pude entender que mi finalidad en la vida no coincidía en cómo vivía ésta. Estaba con falta de armonía y equilibrio vital. Tenía una **disonancia cognitiva,** y decidí hacer un cambio en mi vida.

La **disonancia cognitiva** hace referencia a la tensión o desarmonía interna del sistema de ideas, creencias, emociones y actitudes que percibe una persona al mantener al mismo tiempo dos pensamientos que están en conflicto, o por un comportamiento que entra en conflicto con sus creencias. Consiste en sentir, hablar y actuar de manera diferente, lo que produce un conflicto interior. Cuando vemos que lo que decimos o hacemos es diferente a lo que sentimos, es cuando **sufrimos**. Si pusiéramos remedio a esto, estaríamos más cerca del **éxito**. Se trata de ser **leales con nosotros mismos.**

Hazte estas **preguntas poderosas:**

- ¿Tienes un propósito en tu vida?
- ¿Coincide tu propósito de vida con lo que estás haciendo en este momento en tu vida?
- ¿Tiene sentido para ti tu día a día?

Si encuentras la **gran meta** de tu vida, todo a tu alrededor tendrá significado y encontrarás el significado de todo lo que debes hacer.

Sentir que nuestra vida, y lo que hacemos en ella, trasciende y va más allá de trabajar, lograr metas, establecer objetivos, cumplir etapas o ganar un salario. Tener un fin superior, un plan mayor, con el que estamos alineados y enfocados.

La satisfacción que proporciona que el trabajo diario no solo debe entenderse a la hora de planificar objetivos y superar dificultades para alcanzar metas programadas. Sino que debe estar enlazado con la propia complacencia y con ser capaz de compartir las cosas que nos ocurren.

Para eso te animo a ejercitar el *joriki* (término que forma parte de la filosofía zen), que consiste en concentrarse en lo importante. Entusiasmarse por alcanzar los objetivos vitales. Vivir entusiasmado. Descartar lo no importante y centrarse en aquello que supone alcanzar nuestras metas. Vivir enfocado. Lo que algunos autores como **Daniel Goleman** han denominado «Focus» (**focalizarse en algo importante)**

Te lo vuelvo a preguntar: ¿**tienes un propósito en tu vida?**

Afrontar y superar la adversidad

Si hay algo frecuente en nuestra vida es la **adversidad.**

Tarde o temprano daremos con ella.

Ese obstáculo que nos impide avanzar, que supone un freno, o que nos ancla a una situación desafortunada que debemos lidiar.

La desdicha es algo tangible en nuestra vida y lo que nos rodea. ¿Cómo podemos afrontarla?

Ponte a leer este capítulo y quizás obtengas alguna herramienta que te pueda servir para tu vida.

¿Qué nos hace desdichados?

Hay cosas en nuestra vida que nos hacen sentirnos desgraciados y desamparados.

Algunas son problemas que nos acontecen, pero otras forman parte de cosas que no se cumplen.

Te presento algunas de las cosas que he observado que hacen infelices a las personas:

La ambición

La inquietud y el desvelo por «llegar a ser o tener». Por quedar por encima de no se sabe bien quién o qué. Por poseer. Por generar reconocimiento de los demás. Por ejercer autoridad sobre las personas. Ese tipo de ambición genera en sí misma desdicha y frustración. Ser ambicioso para conseguir cosas no tiene por qué ser malo. Ser constantemente ambicioso para tener posesiones o ejercer un poder sobre los demás puede ser «muy perjudicial para nuestra salud mental».

La competitividad

Por estar en un nivel alto frente a las exigencias. Por destacar por encima de los demás. Por ser los primeros. Por ganar más dinero que otras personas. Por tener más prestigio. Ser competitivos implica querer ganar, y no siempre se puede. Una competición tiene un ganador (o pocos) y muchos perdedores. Si tomamos nuestra vida como una competición, podemos sentirnos triunfantes en algunas ocasiones y humillados o frustrados en muchas otras. ¿Quieres tomarte tu vida como una competición?

La superioridad

Querer ser superior a los demás nos puede hacer sentir bien. Pregúntate qué significa ser superior o ser inferior. ¿En qué eres superior o inferior? ¿Tener más es ser superior? ¿Tener un puesto de responsabilidad te hace superior? Cuando hablo de **liderazgo persuasivo** lo hago desde la **visión** de las personas, no desde la imposición. Por eso no creo en **superiores**, sino en líderes ejemplares, que son aquellos a los que seguiríamos porque nos fascinan, por lo que hacen y cómo lo hacen.

Todos tenemos problemas

Mensaje recibido en mi teléfono móvil:

Sé que tienes problemas y lo estás pasando mal. Conozco tus preocupaciones y me consta que le estás dando vueltas a la cabeza. No te preocupes, este momento se puede salvar, tus problemas pueden solucionarse. Reza una oración al Santo de la Montaña perdida de Jizabozabed mientras te metes un dedo por el orificio desde donde expulsas lo que le sobra a tu cuerpo, dando gracias al santo para que tu mal salga. Manda esta cadena a diez personas que conozcas y que sepas que necesitan ayuda y recibirás una grata sorpresa, tu problema se solucionará y alcanzarás la plenitud. No rompas la cadena si quieres solucionar tu problema y ayudar a los demás. No olvides lo del dedo en el culo, es importante.

Este tipo de mensaje, que abunda en WhatsApp, sobre todo en época navideña (yo recibí un par de ellos parecidos a este), tiene un significado que no debemos perder: **todos tenemos problemas.**

En la sociedad actual la vida nos somete a diferentes pruebas. Como dice un buen amigo mío, *«la vida hay que pelearla»*. Esto significa que constantemente tenemos problemas, de manera cotidiana, mayores o menores, y los identificamos como preocupaciones. Y si no los tenemos, buscamos la manera de encontrarlos.

Haz la prueba. Habla con cualquier persona y pregúntale si tiene algún problema o alguna preocupación en este mismo instante. Si alguien te contesta que ninguno y no le preocupa nada, mete más el dedo en la llaga.

¿No te preocupa tu futuro económico?
¿No te preocupa algo de alguien cercano, familiar o amigo?
¿No te preocupa la situación actual del mundo, con posibilidad de que haya un atentado en cualquier momento? ¿O una crisis económica mundial?
¡¡Algo te debe preocupar!!

Es indudable que estamos acostumbrados a convivir con «problemas». Propios o de personas que nos importan. Pero esos contratiempos nos acompañan a nuestro lado en nuestro día a día. Están siempre con nosotros, en nuestros pensamientos.

¿Siempre estamos pensando en las dificultades que pasan por nuestra vida? Indudablemente, no. Eso sería un desgaste energético tan brutal que nos podría conducir a la enfermedad e incluso la muerte. Cuando una persona está constantemente pensando en problemas, tarde o temprano puede caer en depresión.

¿Cómo dejamos de pensar en problemas? Estando **ocupados o entretenidos.** Es decir, cuando nuestra mente está focalizada en una tarea, que puede ser para arreglar esa adversidad, entonces hablamos de que me **ocupo** del problema, en lugar de me **preocupo.** O cuando estamos entretenidos y disfrutando con otra actividad que hace que nos olvidemos de nuestros problemas.

Cuando hablamos de **desdramatizar,** estamos diciendo que el problema, sea cual sea, podemos afrontarlo de manera que lo hagamos más pequeño ¡¡No puede desaparecer, claro está!! Pero sí podemos minimizarlo, ridiculizarlo, obviarlo, reírnos de ello, gestionar la preocupación restando preocupación…

Mira a tu problema. ¿En serio es tan grave? Utiliza la comparación con otras personas. ¿Sigue siendo igual de grande? Recuerda un problema que tuviste hace un tiempo. ¿Se solucionó? Reflexiona: ¿eres el único que tienes situaciones difíciles en su vida? ¿Cómo lo hacen los demás para no consumirse con esto?

La gestión de la **preocupación** es uno de los grandes desafíos psicológicos y sociales de la humanidad. Psicólogos, sociólogos, filósofos y pensadores han afrontado esta situación desde todos los puntos de vista.

La preocupación nace de nosotros mismos, del interior, avalado por unas circunstancias que nos acontecen, pero sobre todo es un pensamiento sobre esas circunstancias. Entonces, si nace de nosotros, ¿podemos dominarlo? ¿Ese pensamiento se puede transformar?

No siempre es sencillo, pero podemos elegir. Siempre tenemos la libertad de **elección.**

Tu puedes ser Simone Biles

Recientemente, en las Olimpiadas de Tokio 2020 (me hace gracia que hablen de 2020 en el año 2021), ha surgido una noticia que nos tiene que hacer reflexionar.

La gimnasta **Simone Biles**, máxima favorita a conseguir seis oros olímpicos, y ganadora de muchos títulos y medallas, ha decidido retirarse de la competición porque no se encuentra bien en su **salud mental.**

Mucho se ha escrito sobre esta noticia. Sobre todo se ha alabado la **valentía** de poder decir públicamente **«no me encuentro bien mentalmente»**

Yo quiero darle una vuelta a este asunto, porque **«tú puedes ser Simone Biles».**

La atleta ha reconocido abiertamente que ya **no se divierte como antes** con lo que hace, y que **siente la presión de las expectativas de otros** sobre sus resultados.

Simone fue catalogada como «**La sonrisa de América**», ya que, haciendo sus ejercicios de gimnasia, **disfrutaba y sonreía** constantemente. Te invito a ver los múltiples vídeos suyos en los que se le ve pasarlo bien mientras hace un ejercicio de ejecución perfecta.

Simone ha dejado de disfrutar, y con eso han venido las dudas, la presión y las expectativas no cumplidas de otras personas de su entorno.

Yo veo a muchas personas como Simone Biles todos los días. No disfrutan con lo que hacen, sienten presión por pagar la hipoteca, el colegio de sus hijos, conseguir una carrera profesional exitosa, conseguir evolucionar en la vida…, y todo eso aderezado con la presión de su entorno directo.

Simone Biles y muchas personas son víctimas de las **expectativas** que se generan a su alrededor. Nuestro entorno nos **presiona** con frases como:

- *«Debes conseguir un mejor empleo /sueldo».*
- *«Tienes que progresar en la vida».*
- *«Ahora que tienes responsabilidades debes trabajar y ganar más dinero».*

Volviendo a Simone, su trayectoria impoluta no la alejó de la presión de su entorno. Le «exigían» más y más.

¿Convives con Simone Biles en tu vida? ¿Sientes lo mismo que ella en ocasiones?

Cuando no disfrutamos, cuando todo es una obligación, cuando sentimos la presión, cuando queremos responder a las expectativas de los demás, es cuando nos sentimos cansados, hastiados, hartos y estresados.

Si llegas a ese momento, es posible que, como Simone, tengas que decir **basta**. Y parar y replantearte tus objetivos. Recuerda que, como dijo Simone, **lo más importante es tu salud mental**.

El dominio de uno mismo

Tengo un mantra que me repito cuando las cosas no van como yo quisiera. Es el siguiente:

«Dios, concédeme la serenidad para aceptar las cosas que no puedo cambiar, el valor para cambiar las cosas que puedo cambiar y la sabiduría para conocer la diferencia».

¿Cuál es la clave para poder tener una vida en calma? Dominarse a uno mismo para gestionar el miedo y la frustración.

Lo contrario a miedo no es la valentía. Es la seguridad, y en su grado máximo, la certeza.

El ser humano no persigue la **felicidad**, persigue la SEGURIDAD. Preferimos un entorno estable seguro y controlable que algo que suponga incertidumbre. De ahí se acuñó el maldito refrán: «Más vale lo malo conocido…».

El no cumplimiento de las expectativas que nos hacemos tiene como resultado la frustración.

Las expectativas que nos autoimponemos en la vida suelen ser elevadas. Aspiramos al máximo bienestar posible, a lo mejor, al estado más placentero. Cuando no las alcanzamos, bien porque nos rendimos, bien porque nos damos cuenta de que no son posibles, pasamos por una etapa de **frustración.**

¿Solución? ¿Bajar nuestras aspiraciones en la vida? Puede ser, aunque con el tiempo dejaríamos de buscar alcanzar nuestros sueños.

Las expectativas pueden ser revisadas en función de las circunstancias. ¿Cómo superar entonces la frustración? Permitiendo que se quede el menor tiempo posible con nosotros. Es decir, DESDRAMATIZANDO. Si asumimos la situación, buscamos nuevas metas anclando el valioso aprendizaje, la frustración nos abandonará más pronto que a los demás. Se llama pasar página y aprender de la experiencia.

¿Qué pasa cuando el dolor es tan grande que cuesta deshacerse de él? Es cuando el dominio sobre nosotros mismos entra en juego.

En una etapa de mi vida en la que necesitaba el apoyo profesional de mis muchos amigos directivos de empresas, buscaba con grandes expectativas que me compraran mi nuevo proyecto profesional. Recibí muchos halagos, piropos profesionales, muchos abrazos e incluso un premio de reconocimiento profesional. Pero las escasas ventas lastraban mi negocio y mi economía familiar. En esa etapa acuñé la frase: «Joder, quererme menos y comprarme más». Entonces llegó nuestra amiga la frustración. ¿Como la superé? Lo apunté como fracaso, para pronto pasarlo a aprendizaje. Me reí de la situación y me centré en nuevos retos. Analicé la situación. ¿Por qué no me compran? Pregunté cómo podía mejorar. Busqué respuestas en la reflexión. Y saqué mis conclusiones para mejorar esa situación. Conclusión: la frustración no se quedó mucho tiempo y fue a buscar otra alma hundida en la que permanecer.

Otra falta de «dominio de uno mismo» es cuando nos molestamos con los demás por cosas que no son las más importantes:

- Si no nos llaman en momentos que consideramos especiales.
- Si no acuden a nuestros llamamientos.
- Si no acuden a actos sociales «incuestionables» de asistencia semiobligatoria: un entierro de un familiar, una boda o celebración social...
- Si no nos responden de inmediato a una llamada telefónica o un mensaje lanzado.
- Si no responden a un *wasap* que hemos visto que han leído.

Lo queremos todo a NUESTRA MANERA y además de forma INMEDIATA.

¿Es nuestra necesidad importante? ¿Valoramos a los demás por lo que pueden ofrecernos en lugar de por lo que SON? ¿Estamos atados a convencionalismos que nos obligan a nosotros mismos y a los demás a hacer cosas que no queremos, dándoles un valor superlativo en nuestras relaciones con los demás?

En un mundo de convencionalismo y rituales, no seguir las pautas está castigado socialmente. Si no felicitamos a alguien por su cumpleaños, parece que no nos importa esa persona. Si no acudimos a un acto social al que hemos sido invitados, somos criticados. Por eso el ser humano, en su inmensa sabiduría, inventó las EXCUSAS, que nos liberan de la carga emocional, aunque no dejen de ser mentiras por falta de valentía para decir la verdad.

La *excusitis* es la enfermedad de la sociedad moderna. Nos consideramos avanzados porque decimos algo que no es cierto para liberarnos de algo que no nos apetece hacer. Sin embargo, no decimos a las personas que las queremos o que sentimos algo especial por ellas, que eso sí es importante. Qué paradoja social tiene la convivencia en sociedad. No tocarse y no decir te quiero, pero sí llamar a esa persona por su cumpleaños.

Lucha interna y vanidad

«Sé compasivo, porque cada persona con la que te cruzas está librando una dura batalla» (Ian Maclaren, teólogo).

Cada ser humano puede tener un **sufrimiento interior**. Estamos en una constante **lucha contra nosotros mismos**. ¿Por qué tanto esfuerzo?

Creemos que lo que tenemos se nos puede escapar de las manos y anhelamos aquello que no tenemos y creemos que tienen los demás inmerecidamente.

El ser humano necesita la **aprobación de los demás**. Somos seres sociales que necesitamos imperiosamente ser aceptados.

También necesitamos el **reconocimiento**. Éste es el **gran anhelo** del **ser humano**. Ser reconocido por los que le rodean, por los más cercanos. Es el triunfo personal, el **éxito gozoso**.

Este es nuestro gran pecado capital: la **vanidad**.

En la película *Pactar con el diablo*, el diablo, interpretado por el gran actor **Al Pacino**, decía que su pecado favorito era la **vanidad**. ¿Quizás porque es el más probable en que caigamos la mayoría de las personas? Piensa sobre ello. ¿Te gusta que te reconozcan constantemente? ¿Te gusta que hablen de tus méritos y logros?

Ser vanidoso no tiene por qué ser malo o negativo. Significa quererse a uno mismo. Tener amor propio por uno mismo.

La **vanidad tóxica** es la que nos pone a nosotros como **seres superiores a los demás**. No importa el logro, sino que hemos sido mejores que el resto.

Los peritos

La denominación en este caso de **perito**, alejada de la digna profesión, es la de personas que cuestionan todo, que ponen pegas, que no dan algo como concluso, sino que quieren generar confusión o polémica. Son los que siempre andan diciendo: «**Sí, pero...**».

Estos personajes pueden generar hartura, hastío, aburrimiento y rechazo. A veces intervienen sin necesidad para contrarrestar a los demás. Suelen hablar rotundamente, aseverar afirmaciones incuestionables y avasallar con su discurso. Suelen ser unos «sabelotodo».

Mi consejo es: ¡¡aléjate de los **peritos perennes**!! Aquellos que siempre cuestionan por todo y para todo. Son muy cansinos.

Abraza a los **peritos oportunos**. Los que intentan aportar sin ofender o quedar por encima. Los que aclaran o dan su visión como expertos reconocidos. Pueden corregir un error sin tener que dejar mal a la persona que lo comete. Estos pueden quedarse contigo, si no son muy pesados y constantes.

Tener la razón

¿Qué es una de las cosas que más nos gusta y con la que disfrutamos más? TENER LA RAZÓN.

Algunos han llegado a confesarme que incluso les da **más placer que el sexo.**

Nos la den o no, es algo que por unos instantes nos coloca en el centro del universo, en este caso el nuestro.

Las frases que más impactan en nuestro cerebro y que pasan directamente al estímulo placentero son:

- Tengo la razón.
- ¿Lo ves? YO tenía razón.
- Te lo dije: tenía la razón.
- Reconoce (imposición a la otra persona) que yo tenía razón (sométete a mi).

Y es que a veces confundimos la razón con la verdad. ¿Cuál es la diferencia? La verdad es indiscutible y objetiva. La razón puede ser subjetiva y opinable.

En un mundo de *fakes* hay muy pocas certezas absolutas. Por eso, la verdad como concepto está perdiendo valor y fuerza.

En la sociedad de «yo opino de todo», la razón adquiere un poder, sobre todo de imposición, sobre los demás. La **fuerza de la razón** está adquiriendo tal capacidad de sometimiento que obviamos que los sentimientos de los demás deben subvertirse al **poder de la razón**. Algunos políticos utilizan esto con cada vez más frecuencia y hacen que los que no opinan bajo su razón no sean dignos de tenerse en cuenta.

Hace muchos años decidí dejar de tener la razón porque era una fuente inagotable de conflicto. Desde que «doy la razón a los demás» me siento mejor con mis relaciones, he olvidado lo que es discutir de forma amarga y casi todo el mundo me cae bien. No por ello renuncio a mis convicciones, simplemente elijo las batallas que merece la pena luchar. ¿Merece la pena abrir un debate con amigos y familiares sobre política con argumentos enfrentados? En mi entorno he visto familias y amistades destruidas por este asunto. ¿Quieres pagar ese precio de confrontación o separación de tus seres queridos?

«Claro, Ángel, entonces tú das la razón como a los tontos» (esta frase hace mucho daño y genera un gran conflicto). No es así. Prueba a hacer lo siguiente: cuando la conversación se torna en un enfrentamiento de opiniones, normalmente subjetiva, mi frase es: «Puede que tengas razón (esto relaja a mi oponente) y compartimos el fondo del asunto (ya creo un vínculo), entiendo lo que dices (mostrar respeto por la otra persona genera un lazo de unión), aunque seguramente no resolvemos nada de este asunto (tengo la intención de zanjar el conflicto). ¿Qué te parece si hablamos de...? (y aquí busco un tema o asunto en el cual estemos de acuerdo y que nos una como conversadores). Eso no es dar la razón como a un «tonto», es evitar el conflicto y el desafecto.

Prueba a no querer tener la razón. Lucha contra tu orgullo. Admite la opinión de los demás que pueda ser tan válida como la tuya. Déjate llevar por la posibilidad de cambiar de opinión. Yo lo hice, y los resultados fueron asombrosos

Cómo nos gusta quejarnos

Uno de los deportes nacionales que practicamos es la queja.

Nos encanta quejarnos. Protestar sobre lo que nos molesta o lo que nos han hecho, o lo que han dejado de hacer, o lo mal que lo hacen los demás perjudicándonos…

Nos quejamos de los políticos, de los deportistas (sobre todo cuando fallan), de los jefes, de nuestras parejas, de nuestros amigos, de nuestros familiares…

Si hubiera un mundial de quejicas, España sería una potencia, llevando a los mejores deportistas a esa competición. Aunque si realmente lo piensas, sí hay una competición de quejarse todos los días. Se llama Twitter (o las redes sociales en general). Y luego está la competición anual nacional donde todos participamos: la cena de Navidad.

Y no digo que no haya que quejarse. Sirve como desahogo en muchas ocasiones y nos hace sentirnos mejor en situaciones de desahogo para poder «gritar la injusticia» que sufrimos o que vemos.

Lo que pasa es que la queja constante nos inunda en una situación de amargura, desilusión, desmotivación y apatía, e incluso deriva en odio y rencor.

Convertirnos en quejicas y amargados hace que los demás quieran alejarse de nosotros. Nadie quiere estar con un quejica constante. Eso nos puede aislar y aumentar nuestra desazón, pudiendo llegar hasta la depresión.

Los beneficios de la queja ocasional como válvula de escape contrastan con lo perjudicial que es la queja constante. Como pasa con muchas cosas, lo poco puede sentar bien y lo mucho puede ser altamente perjudicial.

Quejarse nos produce una sensación de desahogo contra la injusticia. Pero ¿resuelve algo?

Te invito a que hagas algunas **reflexiones** con respecto a la queja:

- **¿Vives instalado en la queja?** «Estoy yo para reír, con la que está cayendo». «En mi empresa mis jefes son unos inútiles». «Vaya tela con Fulanito/a». Es posible que tengas una casita en «Villa Queja» y no te estés dando cuenta.
- **¿Nos gusta ver el sufrimiento de los demás para mitigar el nuestro?** «Fíjate en esa persona, es una pobre desgraciada». «Nosotros estamos mal, pero los otros están peor».
- **¿Disfrutas con el mal ajeno y el fracaso de los demás?** «Que se fastidie». «Se lo tiene merecido».
- **¿Crees que te mereces más cosas que el resto de las personas que te rodean?**: ¡¡¡Que suerte tiene este/a» «Seguro que hace algo sucio o deshonesto, sino no tendría tanto».
- **¿Gestionas tu dolor a través de la rabia/ira y la culpa hacia los demás?** «Esto me pasa por culpa de…». «Si no hubiera hecho caso a…, no me habría pasado esto».
- **¿Te autoinculpas de muchas de las cosas que te pasan, y eso te atormenta?** «Soy idiota; si no hubiera hecho eso, no estaría así». «Todo lo que me pasa es por mi culpa».
- **¿Dejas en manos de las circunstancias y de la «mala suerte» tus desgracias?** «Es que tengo muy mala suerte». «Estas cosas solo me pasan a mí».
- **¿Sabes convivir con el azar?** «Si no hubiera ido por ahí, no me habría pasado nada malo». «Solo encuentro tropiezos y caídas en mi vida».
- **¿Tienes el coraje de afrontar lo que nos pasa o te rindes fácilmente?** «No puedo con mi vida». «Ya no aguanto más, lo dejo todo». «Me voy, quiero desaparecer».

Algunas personas suelen quejarse sin hacer nada para resolverlo, o por lo menos muy poco. Nos quejamos de muchas cosas que queremos que resuelvan los demás: los políticos, los gobernantes, los jefes o jefas, el dueño de la empresa, el director del colegio, los profesores, nuestra pareja…

Solemos quejarnos de algo relacionado con la acción o inacción de las personas. ¿Pero hacemos algo para cambiar la situación? ¿O, simplemente, bajo nuestra gran sabiduría, aportamos la solución para que otros la ejecuten?

Solo algunas personas se comprometen con alguna causa completamente. Esas personas que luchan para resolver una injusticia mediante la acción suelen ser criticadas y vilipendiadas, y a veces nos molestan. Quizás porque representan aquello que no somos capaces de hacer, y por eso los etiquetamos y clasificamos, desde nuestra incomodidad.

Nos quejamos, y lo hacemos sin ser conscientes de que estamos afectados por algo que el profesor **Gasalla,** experto y gran investigador de la **confianza en el ser humano**, definió como el «**quejido organizacional**», que consiste en la gran queja de muchos en un entorno (el trabajo, la familia, un grupo social, la ciudad, el país…), culpabilizando a unos pocos de no arreglar la situación.

Pasamos mucho tiempo justificándonos

La mayoría de las personas se pasan el tiempo justificándose ante los demás.

Se justifican por lo que hacen, por lo que no hacen, por su comportamiento, por cómo piensan, por cómo sienten…

Se justifican porque necesitan ser aceptados por los demás, con sus defectos, sus errores, sus incongruencias.

Defienden sus ideas hasta el punto de menospreciar la de los demás. Incluso llegan a ofender a otros para defenderse.

¿Qué pasaría si no tuviéramos la necesidad de justificarnos?

¿Qué ocurriría si aceptáramos las críticas sin necesidad de defendernos?

¿Qué es lo que acontecería si practicáramos la aceptación, tanto de lo que somos como de lo que ven los demás?

La justificación se vuelve adictiva, y necesaria en seres humanos poco seguros de sí mismos. Esta afirmación necesita de una reflexión interior: ¿necesito justificar ante ti mi acción o lo que pienso? Si es así, es probable que no esté del todo seguro de lo que he hecho o lo que pienso. En ese caso, procede la

RECTIFICACIÓN, que suele funcionar frente a la justificación. Si estoy seguro de lo hecho o dicho, se debe realizar la AFIRMACIÓN.

Lo repito: ¿estás convencido de que necesitas justificarte? La próxima vez piénsalo antes de hacerlo.

Si logramos minimizar nuestras justificaciones, es posible que las personas terminen aceptándonos tal y como somos.

¿Es necesario sufrir un hecho traumático para tener una transformación personal?

¿Alguna vez has escuchado esta frase?: «Las personas no cambian».

En cambio, SÍ cambian (toma juego de palabras filosófico). Entonces la pregunta correcta sería: ¿cuándo cambian las personas?

Algunos dicen que una experiencia vivencial traumática puede ayudar a cambiar a las personas.

Brujuleando por los superhéroes más conocidos me encontré con esta **transformación** de algunos de ellos debido a un hecho traumático (**artículo publicado en la web www.psicologiaymente.com**).

Los superhéroes y los trastornos mentales

Si hay un arquetipo de personaje cuya narrativa se beneficia enormemente de la fragilidad mental, es el de los llamados superhéroes, ya que este recurso permite humanizarlos y facilitar la identificación por parte del espectador.

En ese sentido, podemos ilustrar elementos de la psicología con estos coloridos personajes, y algunos de **los héroes más populares cuyo interés radica en algún trastorno mental** pueden ser los siguientes:

1. Spiderman

El hombre araña obtuvo la capacidad de trepar por las paredes gracias a la picadura de una araña radioactiva, pero no fue hasta que fue víctima de la tragedia que obtuvo esta propiedad. Al principio usaba sus poderes en el mundo del espectáculo, con fines egoístas, y no fue hasta que dejó escapar a un ladrón, que mataría a su muy querido tío Ben, que aprendería su famoso mantra: todo gran poder conlleva una gran responsabilidad.

A partir de entonces, el personaje adquiere unos valores morales inflexibles, sacrificando su vida personal cada vez que pudiera usar su poder para ayudar a alguien. Así, repetidas veces **su dedicación excesiva al deber** le ha llevado a abandonar relaciones personales, oportunidades laborales o a enfrentarse con la policía u otros superhéroes, ilustrando síntomas que podemos encontrar en el **Trastorno de personalidad Obsesivo-Compulsivo**

2. Hulk

Tras la exposición a la radiación, Bruce Banner adquiere la maldición de transformarse en un monstruo destructivo llamado Hulk. En clara inspiración de la obra de Lewis Stevenson, *El asombroso caso del Doctor Jekyll y Mr. Hyde* (la cual tuvo cierta influencia en los primeros estudios psicodinámicos), las personalidades de Banner y Hulk eran completamente opuestas, siendo aquel un brillante e introvertido científico y este un bruto irracional con la inteligencia de un niño, en un evidente caso de **trastorno disociativo de identidad**, en el que ninguna de las personalidades tiene recuerdos de lo que hizo la otra cuando estaba fuera de control.

Además, la transformación en Hulk **se produce ante altos niveles de estrés**, por lo que Banner ha aprendido en varias versiones técnicas de respiración, meditación, etc.

3. Iron Man

Iron Man fue concebido como una antítesis de sí mismo: se trataba de un hombre de hierro con una enfermedad severa de corazón. Este concepto se extendió a lo largo de los años al terreno psicológico y, aunque se le ha orientado en ocasiones al **trastorno narcisista de personalidad** por su elevado ego, lo cierto es que, sobre todo, encontramos síntomas asociados con el consumo de sustancias, **en concreto con el alcoholismo.**

Y es que Tony Stark entorchó el compromiso de su editorial contra este problema social, siendo un empresario millonario que no podía controlar su consumo de alcohol, llevándole a perder sus relaciones sociales, su empresa, su casa y su armadura, si bien finalmente pudo sobreponerse y hacerse más fuerte, como tantas otras víctimas de esta afección. Eso sí, desde entonces el personaje solo bebe agua, evitando el estímulo discriminativo que pudiera desencadenar todo el proceso de nuevo.

4. Lobezno

Más conocido en España como Lobezno, Wolverine es un mutante que sufrió la intervención de un experimento gubernamental en el cual reforzaron sus huesos de adamantium, el metal más duro del universo ficticio de Marvel cómics. Como consecuencia del trauma, el hombre X sufrió una **amnesia retrógrada** que le impedía recordar parte de su pasado. Sin embargo, con el tiempo se descubrió además que los recuerdos que conservaba no eran sino «implantes de memoria» insertados en el mismo experimento, es decir, **falsos recuerdos inducidos**.

5. Batman

Bruce Wayne presenció el asesinato de sus padres por un atracador a mano armada siendo todavía un niño, situación que le llevó a usar su herencia para convertirse en el luchador contra el crimen llamado Batman. Bruce revive la experiencia del asesinato de sus padres en fechas señaladas (el aniversario de la muerte, día de la madre...) o siempre que acude a la escena del crimen, **como ocurre en los trastornos por estrés postraumático**.

Además, tiene problemas para conciliar el sueño y, en ocasiones, alta irritabilidad y, aunque el exponerse a situaciones semejantes al evento estresante contradeciría el diagnóstico, este síntoma suele reflejarse en cómics y películas por la evitación constante de Batman hacia las armas de fuego.

Entonces me hago otra pregunta: ¿solo podemos cambiar ante un hecho traumático en nuestra vida?

O esta otra pregunta: ¿podemos cambiar sin tener un hecho traumático?

La voluntad de variar de rumbo dirigida a **«querer cambiar»** puede ser más fuerte que un hecho traumático. Pero, claro está, requiere esfuerzo y **propósito** para cambiar.

Es por eso por lo que el **gran objetivo** en nuestra vida es mucho más eficaz que cualquier hecho casual que nos ocurra y que nos «obligue» a cambiar.

El «bote de la felicidad»

La escritora **Elizabeth Gilbert,** autora de libros como *Come, reza, ama,* que luego se pasó a película, nos propone un ejercicio simple y cotidiano que nos puede ayudar en nuestra vida personal. Se trata de lo siguiente:

1. Coge un **bote transparente.**
2. Introduce al **final del día** un momento feliz de ese día. Da igual cuál sea, algo que creas que te ha producido felicidad.
3. Cuando haya pasado un tiempo, puede ser un mes, o un trimestre, o un año, repasa y léete los papeles.

La enseñanza de este pequeño ejercicio es que la vida tiene momentos difíciles y también momentos felices. Y al echar la vista atrás y acordarnos de esos momentos en los que nos sentimos plenos y dichosos, recuperaremos la esencia de nuestra felicidad.

Los momentos tristes van a venir a nuestro cerebro casi sin proponérnoslo. Si somos capaces de recordar los momentos felices, durante ese instante recuperaremos esa felicidad frente a la desventura.

Con este ejercicio algunas personas descubren que, aunque hay momentos de «sombras», también hay momentos de «luz». Disfrutar con aquello que nos hizo feliz es poder arrancar a la vida instantes de felicidad.

Es como estar con amigos y volver a disfrutar de ese viaje que hicimos, de esa anécdota que nos hizo tanta gracia, de aquella fatalidad que nos pasó y que hoy nos reímos de ella.

Recordar lo que disfrutamos es volver a disfrutar.

Y el mundo se paró

Algunas circunstancias que nos ocurren en la vida pueden ser «casualidades». Yo digo desde hace tiempo que pueden ser «causalidades» y que todo ocurre en algún momento por alguna causa.

Y esa «causa» ha decidido que este libro sea escrito en plena crisis sanitaria del COVID-19 o conocido como «coronavirus».

Es curioso que un libro sobre «desdramatizar» tenga que convivir con una situación de agobio y desazón de muchas personas ¡¡en todo el mundo!! Por eso creo que hay una **causalidad** en todo esto.

Después de tantos años de investigación uno tiene la tentación de «reescribir» el libro con las nuevas circunstancias. Pero una vez que uno se aleja de ese impulso, lo que ha servido este tiempo es de **reflexión** para poder introducir algunos asuntos **vitales**, es decir, que afectan a nuestra **vida**.

Porque el **mundo se paró**. Literal y físicamente.

– **No podíamos viajar y desplazarnos.** Se montaron barreras y fronteras con otros países y en los propios territorios nacionales. La sensación de «estar atrapado» se apoderó de muchas personas. Nos habían cercenado nuestra **libertad de movimiento**, y esa libertad no la empezamos a apreciar hasta que desapareció.
– **Mantener la distancia social.** Para alguien acostumbrado a abrazar, besar y mantener contacto físico esto fue algo difícil.
– **Darnos cuenta de que NO SOMOS INMORTALES.** Aprender a través de un «bicho» sobre la fragilidad de la vida y la existencia del ser humano nos coloca en una situación de «**mortalidad**», que es la parte que más nos tiene que hacer meditar y sopesar.

Valorar la **libertad** solo cuando la perdemos es algo habitual en nuestra especie. Solo añoramos lo que extraviamos. Nos produce melancolía lo que malgastamos. Nos da nostalgia aquello que desaprovechamos. Nos produce morriña todo lo que desperdiciamos. Teníamos en abundancia y cuando llega la escasez nos sentimos como la «cigarra», y es cuando nos arrepentimos.

Pero también hay que reflexionar sobre la **crisis y la ansiedad** que esta situación nos ha producido. Sin duda, habrá muchas personas que han sido las grandes afectadas y damnificadas de todo esto. Mi corazón y mi consuelo para todas ellas.

En un libro sobre **desdramatizar** hay que poner en perspectiva épocas diferentes de crisis para poder relativizar toda esta **crisis.**

Si la comparamos con la **crisis** que tuvieron que pasar mis abuelos en tiempos de posguerra, seguramente ellos se asombrarían si vieran que un «tiempo de confinamiento y falta de movilidad» supondría una «debacle». Su situación era la siguiente en los años cuarenta:

- Posguerra con hambre y cartillas de racionamiento.
- Apenas podían salir del pueblo. No había posibilidad de viajar grandes distancias e incluso las pequeñas distancias eran costosas.
- Dictadura que imponía la ideología única y perseguía la contraria a la suya. Falta absoluta de libertades esenciales.

Si esta visión la ponemos en comparación con la de los habitantes de países pobres con libertad de movimiento y social limitada, entonces podemos hablar algo más pausados de nuestro «**drama**».

Entonces, viendo en toda su extensión si tenemos los zapatos rotos y somos desdichados, habría que compararse con quien va descalzo.

En pleno «**confinamiento**» me dio por sacar de mis entrañas un «artículo de opinión» que «vomité» con todo lo que estaba pasando. Es el que pongo a continuación y que podéis encontrar en mi blog www.angellargo.com.

Éramos felices y no lo sabíamos: el camino hacia la sociedad de la apreciabilidad

El titular de una noticia del periódico *El País* me dio la clave para culminar mis reflexiones: **Cuando éramos felices, y no lo sabíamos.**

¿Os acordáis cómo era nuestra vida antes de la crisis sanitaria y del Confinamiento?

Nos quejábamos de que no teníamos tiempo, y ahora lo tenemos y nos aburrimos.

Nos quejábamos de que no pasábamos tiempo con nuestros hijos, y ahora nos agobiamos con ellos.

Nos quejábamos de las horas que echábamos en el trabajo, y ahora lo echamos de menos.

Nos estábamos quejando constantemente y de manera continua. Y seguimos instalados en la queja.

Cuando nos quitan lo más básico, que es la **libertad de movimiento**, es cuando apreciamos lo que teníamos y cómo podíamos ir de un sitio a otro cuando queríamos y como queríamos.

No poder estar en contacto físico con la gente que queremos también hace cuestionarnos qué es **lo importante** en nuestra vida,

El **gran aprendizaje** que debemos obtener es el de apreciar lo que tenemos.

De todo esto debe salir una nueva sociedad, la **sociedad apreciativa.**

Que valora cada instante de la vida, disfruta con lo que tiene y se siente **feliz por vivir.**

Porque buscábamos **fortuna** y no nos dábamos cuenta de que éramos **afortunados.**

Buscábamos el **individualismo** y ahora nos planteamos lo duro que es vivir aislados de los demás.

Queríamos ser **millonarios** y buscábamos el dinero cuando ya éramos millonarios de vida y de **momentos únicos.** Y además era gratis, como ver amanecer, poder pasear por la naturaleza o estar con los que queremos.

Porque la nueva **sociedad apreciativa** debe instalarse y fundarse en unos ejes fundamentales:

> **Valora lo que tienes** y cada momento de tu vida.
> Vive el **presente.**
> **Anima a tu entorno** y a todos los que te rodean, sobre todo ante las dificultades.
> **Gestiona las emociones positivas** ayudando a los demás a que superen los retos, y que entre todos se pueden conseguir.
> **Interésate de forma sincera por los demás**, y desde el profundo respeto y cariño.
> **Reconoce los logros** de los que te rodean; eso los animara para conseguir nuevos logros.
> Reconoce y elogia a todos los que te rodean. Generemos una **cultura del reconocimiento.**
> **Siente aprecio honesto y sincero por los demás.**

Debemos replantearnos nuestra vida a partir de este momento.

El momento es ahora, no hay otro.

Tomarnos la vida con humor

«Lo contrario a la risa, no es la seriedad, es la realidad» (Hegel, filósofo).

«La potencia intelectual de un hombre se mide por la dosis de humor que es capaz de utilizar» (Nietzsche, filósofo).

«El sentido del humor es un triunfo del ego sobre las circunstancias» (Freud, padre del psicoanálisis).

«Los mejores médicos del mundo son el Dr. Dieta, el Dr. Tranquilidad y el Dr. Alegría» (Jonathan Swift, escritor).

«El tiempo que pasa uno riendo es tiempo que pasa con los dioses» (proverbio chino).

«El hombre siempre conserva el suficiente sentido del humor como para reír de los males que no puede evitar» (Goethe, poeta).

«No reímos porque seamos felices. Somos felices porque reímos» (William James, filósofo).

«En las crisis, el sentido del humor es algo muy serio» (Luis Rojas Marcos, psiquiatra y escritor)

«El trabajo más productivo es el que sale de las manos de un hombre contento» (Víctor Pauchet, cirujano).

Si hay algo con lo que me he encontrado cómodo en mi vida, ha sido con el **humor.**

He sido más de «hacer el humor» que de «hacer el amor» (pura estadística, en la que vence por aplastante número de veces la primera de las acciones).

Desde muy joven (un niño, un chaval, un pipiolo) descubrí los grandes **beneficios del humor** en mi vida y en la de las personas que me rodean.

Puestos a elegir, prefiero «llorar de risa» que de pena.

Es por ello que en este capítulo te ofrezco **absolutamente todos mis grandes aprendizajes sobre el humor** desde que lo practico, en los años setenta.

He abusado de poner «*bulletpoints*». El caso es que no puedo, ni me atrevo, a quitar ninguno de ellos porque todos los considero de gran importancia. Espero que te sirvan. Desde hace algunos años están siendo de utilidad para muchas personas con las que me cruzo en mi vida.

Creencias firmes que he desarrollado sobre el humor

A lo largo de mi vida he **observado** cómo el humor impacta en las personas.

Además de leer, estudiar e investigar sobre el humor en los últimos quince años de mi vida, esto me ha ayudado a comprender los **beneficios indiscutibles del humor** en la vida y en el trabajo.

Además, desde 2013, a través de la plataforma **Humor, Diversión y Productividad (HUDIPRO)** hemos experimentado y comprobado con miles de personas estos beneficios. Millares de seres humanos se han aprovechado de las ventajas de instalar una **cultura del humor** en sus entornos. También las organizaciones han visto los efectos provechosos en el rendimiento y compromiso de sus empleados.

Desde HUDIPRO hemos puesto en práctica en empresas y organizaciones todas estas enseñanzas con éxito. Transformando los entornos de trabajo y las relaciones laborales y sociales.

Poder observar las transformaciones de los ambientes de trabajo utilizando las técnicas y herramientas basadas en la **cultura del humor** ha significado un gran impacto en mi vida y en la de las personas que lo han experimentado en primera persona.

He de dar las gracias al gran **Eduardo Jáuregui** por ser uno de los introductores del **humor** en la vida y en el trabajo con sus libros e investigaciones. Él iluminó parte de mis pensamientos. Leyendo sus libros, asistiendo a sus conferencias, viendo sus vídeos y compartiendo momentos juntos como «**El día de la diversión en el trabajo**» que su empresa **Humor Positivo** suele organizar todos los días 1 de abril, aprendí y comprendí muchas de las cosas que voy a exponer a continuación. Algunos de estos aprendizajes están sacados de la bibliografía de Eduardo y su socio **Jesús Damián Fernández**. Libros como *Alta diversión. Los beneficios del humor en el trabajo* (Editorial Alienta, Eduardo Jáuregui y Jesús Damián Fernández) han marcado mi vida profesional y mis creencias firmes sobre este asunto. De todo corazón, muchas gracias por compartir estas enseñanzas con la humanidad.

Estas son las creencias firmes que he desarrollado, leyendo libros, investigando, hablando con expertos y teniendo **conversaciones poderosas.**

Sobre el humor y el sentido del humor

- El humor es una **actitud.**
- El sentido del humor te ofrece una nueva óptica de las imperfecciones, incongruencias y sin sentidos de la vida
- Su función principal es ayudarnos a distanciarnos de la situación que nos estresa.
- La perspectiva humorística constituye una estrategia ingeniosa muy eficaz para defendernos del miedo, la ansiedad y la desesperación.
- El humor actúa de calmante ante las desdichas.
- El humor sirve para aceptar lo absurdo de la vida.
- Hay personas que transmiten diversión y buen rollo. Es una cuestión de actitud ante la vida, y eso se transmite. **Alegría** viene de la palabra *alecri*, que significa estar vivo. También significa **animado,** y el que está animado anima a los demás, así como el que está apagado apaga a los demás.
- Es mejor y más sano para nuestro entorno utilizar el humor que une frente al humor que se burla de los demás; une más y acerca, en lugar de alejarse de los demás.
- El humor nos iguala a todos. Nos hace compartir independientemente de nuestro rol o posición social.

- Humor = gozo, satisfacción, gratitud, optimismo, sosiego…
- El sentido del humor es el resultado de una actitud derivada del autoconocimiento y de la autoaceptación. Y cuando nos aceptamos, somos capaces de bromear y reírnos incluso de nosotros mismos.

Sobre la risa y la sonrisa

- La risa es una expresión física de varias emociones y consiste en la contracción simultánea de quince músculos de la cara acompañada de respiraciones espasmódicas y de sonidos entrecortados irreprimibles. ¡¡Ejercicio del bueno, y no correr como si huyéramos de algo!!
- Científicamente, está demostrado que nos reímos treinta veces más en compañía de otros que solos. La risa en compañía es de mayor alcance que ver una película solo, por ejemplo.
- Al sonreír, la otra persona suele devolvernos la sonrisa. La sonrisa y la risa son contagiosas, por lo que si nos rodeamos de personas que sonríen, seguramente los que están alrededor sonrían. Pasa igual si nos rodeamos de personas «serias», que lo que devolvemos es seriedad.
- ¿Por qué sonreímos para hacernos una foto, con sonrisa forzada y luego volvemos a estar serios? Es como si quisiéramos pasar a la inmortalidad (fotografía) sonriendo. ¿Por qué no lo hacemos a diario? A mí me dan mucho miedo las personas que no sonríen.
- A los que sonríen constantemente se les considera locos o trastornados y los serios son interesantes. ¿Por qué? ¿No será al revés?
- Hay que saber reírse de uno mismo, venciendo el miedo al ridículo: «Si lo malo que dicen de ti es cierto, corrígete; si es mentira, ríete» (Epicuro).
- Hay que reírse antes de uno mismo, así nunca te faltará de quién reírte. Debemos tomarnos menos en serio y aceptar nuestras imperfecciones y errores.
- Reírse juntos vincula, une, compromete, acerca a las personas. Debemos crear experiencias que nos hagan reír juntos.
- En ocasiones nos encontramos en desacuerdo con una persona y de repente algo que hace reír a ambos nos une más, y nuestras diferencias se reducen.
- **Aburrir** viene de *aborreo*, que es aborrecer. Por eso huimos y no soportamos a los aburridos, porque nos hastía y cansa estar con ellos.

- El aburrimiento desconecta... de la tarea, de la conversación, de la persona.
- Si nos aburrimos, nos desconcentramos, nuestra mente baila y no estamos en lo que estamos. Es lo que denomino «ánima ausente», que es cuando estamos presentes físicamente pero nuestra «alma» y pensamientos no están allí.
- El sentido del humor y la risa aumentan la calidad de vida y la sensación de bienestar.
- La risa libera la dopamina que nos da placer y también endorfinas, que nos sirven como analgésico y hacen que nos sintamos mejor y soportemos mejor el dolor.
- Cuando se produce la risa en grupo se da un estado de cohesión mucho más placentero.
- La risa es un fenómeno social y produce un efecto de acercamiento y de reducción de las distancias, los conflictos y las hostilidades.
- La risa puede fomentar lazos interpersonales y grupales para que las personas se desarrollen y reluzcan como individuos y como seres sociales.
- Reír juntos es una señal de confianza y de sentirse seguros. No hace falta que sean risotadas. Poder echar una risa pequeña por algún comentario sin importancia implica que el grupo se siente tranquilo, confiado y seguro.
- Si no somos capaces de reír en un grupo, es que algo va mal: nos sentimos cautelosos con los demás, no confiamos en ellos y sentimos que no podemos bajar la guardia.
- Los equipos que ríen y se divierten juntos son más capaces de abrir y compartir los problemas entre ellos. Esto les hace soportar mejor el estrés y mejorar la resolución creativa de problemas.

Beneficios del humor

- Produce bienestar. Fortalece el sistema inmunitario. Reduce la presión material. Al reír, relajamos los músculos.
- Aumenta la confianza en uno mismo.
- Reduce la frustración y la agresividad.
- Fomenta la creatividad.
- Incrementa el compromiso y el rendimiento.
- Ayuda a mejorar nuestras relaciones, sobre todo con los desconocidos.
- Aprendizaje y diversión siempre van unidos, íntimamente.

Cómo desarrollar el humor y la diversión en el trabajo para ser más plenos y obtener mejores resultados

Voy a poner de manera resumida lo que he aprendido en los últimos veinticinco años sobre cómo impacta el tema de la diversión y el humor para **mejorar ambientes de trabajo.**

En estos «puntos clave» podéis encontrar una miniguía para mejorar ambientes laborales y además ser más felices y productivos. Si se consiguiera implantar una «**cultura del humor en la empresa**», seguramente conseguiríamos que el trabajo no se viera como un «castigo divino», sino como un sitio donde podemos realizarnos y ser plenos.

Vamos con los «*bulletpoints*»:

- El juego entre adultos es un factor para desarrollar la creatividad. Unir creatividad con humor y con juego, y con divertirse y pasarlo bien para desarrollar la mente creativa hará que tengamos mejores ideas para desarrollar.
- Cuando algo es divertido, no hay manera de impedir que la gente lo haga. La diversión es algo **intrínsecamente motivador**, y por lo tanto ofrece una respuesta a la pregunta del cerebro: «¿Qué saco yo de todo esto?». Al cerebro le resulta mucho más fácil recordar información que responde a esta pregunta, y la respuesta es diversión.
- Hay que fomentar la actitud de juego para mantenerse vivos profesionalmente. Todos tenemos una parte de niños que quiere divertirse. Uno se puede divertir haciendo lo que le gusta profesionalmente.
- Vamos a tener que trabajar muchos años de nuestra vida; más vale que nos divirtamos y disfrutemos con lo que hacemos. Ganarse la vida haciendo algo que odias o detestas es perder la vida.
- Se trata de ir al trabajo motivado, es decir, teniendo **motivos** para trabajar. He visto personas que «sufren» los domingos porque tienen que ir a trabajar el lunes. A otros les cuesta levantarse. La semana se les hace muy larga. ¿Es eso vida? Si supieran que en el trabajo se van a divertir, la mayoría iría con más motivación.
- Cuando vemos a personas que se divierten en su trabajo creemos que no se están tomando en serio sus responsabilidades. Debemos desaprender

que el trabajo debe ser una actividad seria y aburrida y convencernos de que es compatible conseguir altos niveles de rendimiento y disfrutar al mismo tiempo.

- Disfrutar en el trabajo ayuda a fluir; cuando te diviertes en el trabajo no sientes que sea un trabajo. Forma parte del salario emocional. Además, mejora la salud y es un gran motor para la generación de sentimientos positivos. Cuando los trabajadores disfrutan en su trabajo, el valor de marca de la empresa aumenta.
- Disfrutar es la estrategia adecuada para aprovechar el tiempo.
- Utilizamos el término «salir a divertirse» solamente para nuestros ratos de ocio, fuera del trabajo. ¿Por qué no voy al trabajo a divertirme? Las organizaciones que logran que las personas se diviertan y disfruten en el trabajo mejoran el **compromiso** de las personas con la organización.
- Las organizaciones, como las personas, necesitan «desengrasar», «descon-gestionar», «flexibilidad». Es aquí donde el humor y la diversión entran en juego.
- Algunas empresas están tensas. Muy estresadas. La risa relaja. Reírse puede rebajar la tensión laboral, obteniendo unos resultados asombrosos.
- Mantener ambientes desenfadados en las empresas ayuda a desarrollar la creatividad y el trabajo en equipo. A la gente le gusta trabajar en ambientes estimulantes, no solemnes.
- No hace falta ser gracioso para ejercer el humor. Basta con hacer referencia a algo gracioso. Basta con jugar, con volver a ser **niño.**
- Los momentos de nuestra vida profesional que recordamos con más cariño son los más intensos. Donde disfrutamos es en la intensidad, y muchos de ellos ocurren en el trabajo. Por eso, cuando nos divertimos, son momentos que queremos repetir y recordamos con cariño.
- Hay un gran beneficio al utilizar el humor para transmitir mensajes difíciles y complicados. Eso permite que posiciones posiblemente hostiles sean minimizadas. También sirve para romper la actitud defensiva de una persona, o justificándose, permitiéndole cambiar de actitud, expresarse, o reconocer una verdad, sin sentirse amenazado.
- Las emociones positivas pueden ampliar el repertorio de pensamientos y acciones del ser humano y fomentar la construcción de recursos para el futuro (Fredrickson, 1998). El poder cohesivo del humor es grandioso.

– Invertir en humor en el trabajo es invertir para que los trabajadores sean más **productivos,** más **involucrados,** más **comprometidos** y sean rescatados de una posible **ausencia o del absentismo emocional.**
– Intentar quitar tensiones y rigidez en las reuniones de trabajo. En un momento de la reunión, decir algo incoherente, absurdo. Con ello quitaremos la tensión del momento, relajaremos al auditorio y quizás recuperemos a algún despistado.
– Celebrar los éxitos es iniciar el camino hacia nuevos éxitos.

   o Celebración formal de los éxitos para saborear y deleitarse en el premio al esfuerzo realizado.
   o Reconocimiento a las aportaciones especiales individuales y/o colectivas para aumentar la motivación intrínseca.
   o Desarrollo de actividades extralaborales que aumentan la camaradería y el orgullo de pertenencia.

– Celebrar es fortalecer el significado de la identidad común; motiva, comunica mensajes, premia y ayuda a afrontar mejor el presente y el futuro. Debemos celebrar siempre que podamos. Tipos de celebraciones:

   o Celebrar fechas importantes en la empresa: el día de inicio de la empresa, aniversarios señalados, el primer cliente, la primera homologación, el primer premio, el gran proyecto…
   o Celebrar inicios de estación.
   o Celebrar cumpleaños.
   o Celebrar patrones de algo. Por ejemplo, el de los ingenieros, etc.
   o Celebrar un día del niño en el que todos los empleados traen a sus hijos y se les prepara una fiesta.
   o Inventarse un día especial: celebrar los logros de la compañía, un buen año de resultados, unos logros en clientes…

– El humor atrae, cohesiona, motiva, enriquece. Tener un jefe con humor y que cuide a su gente es muy motivador para el equipo.
– Liberar tensiones a través del humor produce un efecto aliviador en las tensiones diarias.
– Pasamos más tiempo en el trabajo que con nuestras familias (ocho horas + comida + desplazamientos). ¿Por qué no crear un buen ambiente laboral?
– Cuando fluye el buen humor, se crea un clima de confianza mutua, generosidad y complicidad entre las personas que lo comparten.

- Establecer **retos**. Conseguir objetivos en el trabajo, igual a realizar algo que sea divertido.
- Falsa creencia: si eres feliz en la oficina, es que no trabajas.
- Si mi trabajo tiene motivo, es más fácil ser feliz.
- El humor nos permite romper barreras. El líder puede empezar una reunión con humor, y eso hará que se distienda el ambiente.

Beneficios de la diversión en el trabajo:

- Vende ideas.
- Mejora la creatividad y la innovación.
- Atrae a las personas con talento.
- Mejora la productividad individual y grupal.
- Ayuda a establecer mejores relaciones interpersonales.
- Mejora el compromiso de los empleados dentro de la empresa.
- Mejora el clima laboral y la satisfacción laboral.
- Disminuye el estrés.
- Mejora la capacidad de toma de decisiones.
- Impacta en el estado de ánimo de las personas y de la organización.

La risa es un elemento revolucionario

Dice el filósofo **Fernando Savater** que «lo profundo se encuentra en la distancia y en el carácter siempre abierto que el humor pone con respecto a la realidad» y que «la peor plaga que hace estragos a nuestro alrededor y en cada uno de nosotros es tomarse demasiado en serio a sí mismo».

Imagino que habrás escuchado en alguna ocasión el refrán «Quien bien te quiere, te hará sufrir». A mí me parece totalmente desafortunado, porque relaciona el amor con el sufrimiento.

Yo lo he cambiado por «Quien bien te quiere te hará… **reír**». Las personas que más me han querido, y a las que yo he querido, me hacen reír. Mi abuelo «Colás» me hacía reír y sonreír con sus constantes bromas. Era un experto en sacarme una sonrisa. Siempre estaba gastando bromas o haciendo payasadas. Cuando él se fue, mi vida tuvo un vacío, que cubrió su recuerdo y sus enseñanzas. Hacer reír a los demás, como mi abuelo hizo conmigo, dio sentido a mi vida.

Porque estoy convencido de que **la risa nos salvará la vida.**

El humor sirve para desdramatizar lo que nos pasa en la vida

Gracias al humor podemos aceptar lo absurdo de la vida.

Si logramos utilizar el humor para transmitir mensajes difíciles y complicados, nos permitirá que posturas posiblemente hostiles sean minimizadas.

También sirve para romper la actitud defensiva de una persona, o que esté justificándose, permitiéndole cambiar de actitud, expresarse o reconocer una verdad sin sentirse amenazado.

Reírse de los errores de uno mismo públicamente ayuda a compartirlos, minimizarlos y pasar página.

La risa es un fenómeno social y produce un efecto de acercamiento, distancias y conflictos y hostilidades. La risa puede fomentar lazos interpersonales y grupales para que las personas se desarrollen y reluzcan como individuos y como seres sociales.

Es absolutamente increíble el poder cohesivo que tiene el humor.

Desde el humor podemos solucionar problemas sin agredir al otro.

Dice la escritora **Marie Anaut**, en su libro *Humor, entre risas y lágrimas*, lo siguiente:

> *El humor forma parte de esos «mecanismos salvadores» de los que disponen las personas heridas para protegerse frente a la inmediatez del maltrato o peligro.*
>
> *En las situaciones de supervivencia psicológica, el humor es una forma de contra-poder que, al despertar las fuerzas del placer en el corazón mismo de la tragedia, permite relativizar las angustias y el sufrimiento.*
>
> *Frente a la complejidad del mundo moderno, el humor representa un vector importante de cohesión entre las personas.*

Las personas nos relacionamos y hacemos cosas con quienes **nos caen bien**. Nos sentimos confiados y más cercanos. Por eso nos vinculamos con quien nos hace reír o disfrutar.

El humor y Sigmund Freud

Desde la posición freudiana, gracias al humor, el YO se protege: «Se niega a aceptar que los traumas del mundo exterior puedan afectarlo; o, aún mejor, hace ver que estos pueden ser fuente de placer».

La actitud humorística protege al individuo durante el enfrentamiento con contextos dañinos. Permite al herido mantener una mirada desapegada mediante la toma de distancia de los afectos y limita el carácter traumático de las situaciones peligrosas. Frente a la tragedia y la adversidad, se ahorra la depresión, la ansiedad o la cólera que normalmente podrían aparecer manteniendo una visión realista de sí mismo y del mundo.

Según Sigmund Freud, el humor es una contribución del *superyó* a lo único que se instaura como observador del yo. La perspectiva humorística ofrece una visión desdramatizada del mundo.

Nos tomamos demasiado en serio a nosotros mismos

En 2016 tuve el honor de ser reconocido por profesionales de recursos humanos como **Blogosfera de Bronce** a uno de los mejores blogs en recursos humanos. Al ir a recoger el premio lo hice disfrazado con un traje de Smile. Una de las personas que estaba en el acto me susurró al oído: «¿No te da cosa recoger el premio así? Yo no lo haría». «¿Por qué?», pregunté. Ella contestó: «Por prestigio mío». Esto me dio que pensar: ¿Nos importa mucho el papel que interpretamos o la imagen que damos ante los demás que nos atenaza de no sentirnos libres? En mi caso quise dar una imagen de optimismo y regalar a los invitados a la ceremonia algo diferente. He aquí la prueba:

A veces nos tomamos demasiado en serio nuestro papel en la vida. ¿Y cómo lo hacemos?:

- A nivel profesional, siendo estrictos en nuestros comportamientos.
- Nuestro rol familiar: padre/madre o tutor suelen embarcarnos en ser personas intransigentes.
- Nuestro rol social: el organizador, el que gestiona el dinero, el serio, el divertido, el profesional…

Voy a ilustrarlo con una anécdota que pude vivir en primera persona:

> Un director de compras de una gran empresa, cuando iba a presentarle mis servicios, me llegó a decir lo siguiente: «El director de compras no debe intimar con nadie para hacer bien su trabajo y a veces debe ser un poco gilipollas». Este era muy gilipollas y se tomaba en serio su rol. Distante con las personas, chulesco, iluminado y carente de empatía personal. Se ganó la enemistad de sus compañeros, de proveedores e incluso de su equipo. ¿Merece la pena ser así para parecer un buen profesional?

Hay un gran engaño social en que hay que escoger entre ser una **buena persona o buen profesional.** Esto se ha interpretado así en muchas ocasiones con mantras de que las personas exitosas profesionalmente suelen ser unos hijos de…

¿Nos tomamos demasiado en serio los roles que tenemos que interpretar?

«Soy una persona en el trabajo y otra fuera de él»: ¿Personalidad múltiple? ¿Trastorno mental? Yo no sé comportarme de diferentes maneras a como SOY realmente. No creo que se pueda fingir un papel, me cuesta mucho ser quien no soy.

Es muy difícil interpretar un papel mucho tiempo seguido como en el **programa de televisión** *Gran Hermano.*

A veces tendemos a **sufrir** por ser alguien que no somos. Se produce una gran **tensión y ansiedad** por estar «a la altura de nuestro papel».

Para eso debemos tener un **propósito** para levantarnos por la mañana.

Se trata de **disfrutar lo que hacemos y hacer lo que disfrutamos.**

Hay una idea que circula por la sociedad de que en el trabajo no se puede disfrutar, que es un **castigo divino.** Y eso genera millones de personas amargadas diariamente en sus trabajos.

No tener miedo al ridículo

«Ser flexible es ser capaz de tomarse el pelo a uno mismo y que la autoestima se muera de risa».

Pensar en hacer el ridículo es ya sentirse ridículo.

Jandro, el gran cómico que triunfó con sus excentricidades en el exitoso programa de televisión *El Hormiguero*, dijo lo siguiente: «El ridículo no existe. Es una opción personal. Tú eliges si lo tienes o no. Yo he elegido no tenerlo y me siento más feliz y creativo».

Tener miedo al ridículo es un miedo al qué dirán. Pensar que hacemos algo que no será aprobado por los demás.

Sentir ridículo es sentir vergüenza de nosotros mismos. Vencer el ridículo es aceptarnos tal y como somos, con nuestros defectos y errores, con nuestras contrariedades.

Por eso, si me equivoco, lo admito rápidamente, no me dejo llevar por el orgullo, no me avergüenzo de equivocarme ni de pedir disculpas.

Son los grandes ridículos los que más nos han hecho reír en la historia. Recuerdo con gran cariño a los **Payasos de la Tele**, con escenas en la que se ponían en ridículo y con las que no podíamos parar de reír.

Hacer el ridículo está al alcance de todos, pero es cuando se ríen de nuestro error cuando más debemos sacar la virtud de reírnos de nosotros mismos.

Hay personas que no se recuperan de un ridículo y se sienten mal durante mucho tiempo. Eso es porque se sienten pequeños e insignificantes ante lo ocurrido, más allá del momento en que creen que hicieron algo que no les hacía sentir bien.

No gustamos a todo el mundo y debemos aceptar las críticas e incluso ser los primeros en criticarnos.

O como alguien me dijo una vez: «Ríete de ti mismo o alguien lo hará por ti».

Dejar de sentir el ridículo es sentirse más **libre**.

La necesidad del bufón en nuestra sociedad actual

La energía que da poder alegrar el día a otra persona es indescriptible. Yo la llevo experimentando desde niño. Sentía que podía hacer reír a los demás con mis «payasadas», y que los otros niños querían estar cerca de mí porque lograban reír. Eso me dio **significado** a lo que hacía y por qué lo hacía. Era capaz de hacer disfrutar a otros (incluso adultos), y por eso me interesaba por las cosas que les hacían reír. Pronto descubrí que lo «absurdo» y los «errores» les hacían reír mucho, y por eso lo «entrené», e incluso provocaba las situaciones.

En mi vida de adulto perfeccioné las técnicas para hacer reír y disfrutar. Y por eso decidí ser el **bufón** de las reuniones sociales y de las actividades con amigos. Y te voy a contar un secreto: ¡¡me encanta!! ¡¡Me gustaba (aún me gusta) ser el centro de la fiesta y ver cómo los demás disfrutaban con mi presencia!! Aunque a veces era (y es) agotador.

En un artículo publicado en mi blog (www.angellargo.com) hablaba de la necesidad que tenemos de tener bufones en la sociedad actual, y lo titule «El **bufón en el siglo XXI**». Lo relacionaba con la necesidad de tener bufones en la vida diaria y en las empresas. Os dejo el artículo completo:

*¿Cuál es la imagen que nos viene cuando mencionamos la palabra **bufón**? Seguramente la de un personaje vestido grotescamente, afincado en la Edad Media, y con dotes para hacer reír a la corte real y también al rey.*

Según la Wikipedia, al bufón se le describe de la siguiente manera:

*«**Bufón** es toda aquella persona que hace reír con su ingenio, sus gracias o sus desgracias. Históricamente, los bufones, hombres o mujeres, muchas veces niños, enanos o personas deformes o grotescas, han ocupado un lugar privilegiado junto a reyes y pudientes.*

«Sus habilidades cómicas en pantomimas y representaciones histriónicas o burlescas, su destreza en acrobacias, malabarismos y otros juegos, y muy en especial su privilegio ante los poderosos para decir lo que a nadie le estaba permitido pronunciar o reírse de quien nadie osaría hacerlo, han sido sus características principales. Se les concede el insólito mérito de humanizar al gran mandatario, haciéndole sentir, supuesta y temporalmente, como un mortal más».

De aquí podemos sacar varias conclusiones interesantes:

- *Es una persona que hacía **reír a los demás,** por lo que seguramente se granjeaba la amistad y la simpatía de muchas personas de alrededor.*
- *Ocupaban un lugar privilegiado junto a **reyes y poderosos.** Su impacto en la historia de la humanidad y en las grandes decisiones no ha sido lo suficientemente medida. Si los personajes históricos podían tener consejeros y asesores, estamos seguros de que el bufón les «condicionaba» a la hora de la gran toma de decisiones. En un ambiente distendido y divertido seguramente las decisiones podían ser tomadas bajo esta figura influyente.*
- *Podían decir a los nobles lo que a nadie se le permitía. Eran los **críticos** de la época. Bajo un formato de broma o burla inocente se podían esconder análisis y críticas sobre la personalidad, el comportamiento y las actitudes de los importantes de la sociedad. Sus apreciaciones, burlescas y divertidas, seguramente harían reflexionar a las personas de alrededor, y podrían intervenir en alguna actuación concreta.*
- *Permitían **humanizar** al mandatario. Muchas veces poder lleva consigo soberbia y vanidad. Poder gestionar la humildad mediante herramientas humorísticas seguramente podría ejercer un poder de **cambio** en algunas personas que ostentaban dicho poder.*

*Teniendo en cuenta esto, ¿necesitamos bufones en la actualidad? Estoy seguro de que sí, y, aunque se les conoce con otros nombres, algunos ya existen. Son los **cómicos, las publicaciones humorísticas, los monologuistas, los críticos con gran sentido*** *del humor que realizan esa labor de decir al poder lo que hace mal, lo que debe corregir y cómo se comporta habitualmente, de manera que nos hace sacar una sonrisa y nos permite ver a esos «poderosos» como* **mortales,** *es decir, semejantes a nosotros.*

Yo defiendo fervientemente la figura del **bufón** en el entorno laboral. Sería aquella persona que nos divierte, nos entretiene, tiene un gran sentido del humor, permite que mejoren los ambientes y gestiona el liderazgo de los proyectos y equipos. Si esa persona se ve reflejada en un **líder** con potestad y autoridad, entonces nos encontramos con la situación ideal para desarrollarse mejor personal y profesionalmente.

A veces lo tildamos despectivamente de **graciosillo,** seguramente porque a veces nos cargan sus bromas y gracias repetitivas. Pero cuando el humor se hace de manera inteligente, entonces hablamos de **optimismo inteligente y alegría inteligente,** que es la que se ejerce de manera controlada y en situaciones concretas para dinamizar y gestionar de manera positiva las situaciones laborales.

Por eso hay que recuperar la figura del bufón en las organizaciones. Se tiene que poder dejar espacio para la diversión y la alegría que permita mejorar situaciones. Para poder gestionar espacios críticos dentro de la toma de decisiones de una empresa. Para poder humanizarnos y acercarnos más los unos a los otros. Para permitir entornos creativos y alegres donde poder alcanzar resultados excelentes.

Yo quiero ese **bufón** en mi compañía, en mi equipo de trabajo, en mis proyectos, en mis grupos profesionales. Abogo por su existencia, por dejarle espacio, por darle libertad. Yo quiero que esa persona exista y se le dé el reconocimiento que merece.

Busquemos esos bufones y otorguémosles el reconocimiento que se merecen por hacernos disfrutar y pasar todo tipo de situaciones.

Cuidado con la ironía y el sarcasmo

La **ironía,** y sobre todo la utilización del **sarcasmo** como elemento humorístico, tiene evidentes riesgos. Es hiriente, no une, sino que divide. Hace reír solo a unos y ofende a otros. Duele mucho al que lo sufre. No crea vínculos, ni con los que se ríen ni con el ofendido, sino que los destruye. No le sirve a nadie, y en muchas ocasiones ni siquiera incluso al que la práctica, a no ser que sea un poco psicópata.

En nuestra sociedad la llamada «ironía fina» se disfraza de «ofensa débil». Cuando se es irónico con algo, se está realizando una crítica, no siempre constructiva, hacia algo o alguien, y eso roza la ofensa y el enfrentamiento. La cultura anglosajona está impregnada de esta «fina ironía», que ya está aceptada socialmente por el resto de las culturas, aunque esto no signifique que nos guste en otros países.

El sarcasmo suele definirse como «ironía cruel», por lo que exacerba aún más su capacidad ofensiva. Suele ridiculizar, humillar, y a veces insultar a otra persona.

Si puedes evitar estos «tipos de humor» y utilizar otros que unan a las personas, seguro que evitarás problemas y conflictos innecesarios.

El humor como distracción del dolor y la angustia

Cuando cumplí cuarenta años sufrí una «crisis del cuarentón». Decidí tirarme en paracaídas, con el resultado de una rotura de mi pie al aterrizar cuando «decidí» apoyar todo mi peso y el de mi monitor en la caída sobre mi pie derecho.

Estoy en la sala de urgencias. Me acabo de destrozar el pie, que va colgando, pero tengo tanta adrenalina que no siento dolor.

De repente unos gritos de inmenso dolor inundan la sala: «¡¡Dejadme!! ¡¡Soltadme, malditos!! ¡¡Dejadme ir!!». ¿Cuál fue la reacción de todos los que estábamos allí? Ponernos a reír. La situación nos parecía tan divertida que no podíamos evitar reírnos del «mal ajeno» para aliviar nuestro padecimiento. Esa persona no podía vernos reír, por lo que no se sintió humillada. Sin embargo, a los que estábamos allí nos ayudó a resolver la situación: «Lo mío no es tan malo comparado con lo de ese que grita tanto y quiere irse».

Si somos capaces de relativizar nuestro dolor frente al de otros, aunque sea riéndonos de ello (sin ofender), estaremos en el camino de restar sufrimiento a nuestra existencia. Ese momento de «disfrute» frente a los «males ajenos» es absolutamente reparador.

Por eso te propongo que cojas esta herramienta. Bromea en momentos de angustia y dolor.

Los *clowns* de hospitales para niños lo practican para hacerles olvidar su enfermedad por un instante. Y está demostrado que no solo funciona, sino que los prepara para afrontar mejor su enfermedad.

Cómo dejar de sufrir

«Hakuna matata», **ningún problema debe hacerte sufrir**, de la película *El rey león* de Disney.

Ya hemos tocado en anteriores páginas el tema del sufrimiento.

Creo que esto merecía un capítulo aparte para poder discernir sobre esta «pandemia sufriente» que tenemos en la sociedad actual, sobre todo en Occidente.

Si yo te digo que tengo el conocimiento para que puedas dejar de sufrir, ¿cuánto me pagarías por obtenerlo?

En este capítulo quizás obtengas información valiosa para dejar de sufrir. No estoy seguro si el «elixir» se encuentra en este puñado de palabras. Lo que sí te puedo garantizar es que a mí me han servido para poder disminuir mis sufrimientos.

He querido dedicar un pequeño espacio a un tema que me **ocupa** (más que preocuparme) y al que debemos poner una solución de manera inmediata, debido a la gravedad del asunto. Me refiero al **suicidio.** «Nadie se quiere suicidar; solo quieren dejar de sufrir», manifiestan algunos de mis grandes amigos psicólogos que han estudiado sobre este asunto. Por favor, pongámonos manos a la obra con este asunto de manera urgente. Ya no solo para evitar más suicidios, sino también para poder eludir el gran sufrimiento de las personas cercanas a la persona que decide suicidarse.

Qué manía de sufrir

Sufrir con la comida.
Sufrir con el ejercicio físico.
Sufrir en el trabajo.
Sufrir por el dinero (sobre todo la escasez de este).
Sufrir por amor (más bien por no ser correspondidos, o por no serlo como deseamos).
Sufrir en nuestras relaciones personales.
Sufrir porque no se cumplen nuestros deseos.
Sufrir porque nos encanta el papel de víctima.

Podemos eliminar cosas que nos hacen sufrir. Se trata de decir NO, de renunciar a aquello que nos sienta mal, que no nos realiza, que es una norma social que no aceptamos...

Los epicúreos se abandonaban al placer. Trataban de dejar de sufrir.

No se trata de placer o sufrimiento, sino de apartar el sufrimiento y hacerle frente con la desdramatización de lo que nos ocurre.

La desgracia une a las personas

La desgracia genera un vínculo de unión entre las personas.

Nos sentimos más cerca de aquellas personas que han pasado por calamidades o situaciones adversas, y más aún si son parecidas a las que nosotros tenemos también.

Si alguien ha tenido una ruptura sentimental, siente que hablar con otras personas que también la han sufrido, si además es reciente, le hace sentirse más cercana, y desarrollará lazos posiblemente fuertes con esas personas que le «comprenden» o quizás pensará que realmente son los «únicos que le comprenden».

Cuando compartimos desgracia con personas que tienen la misma emoción de frustración y desdicha, entones nos sentimos mejor y nos **alivia**. Se puede decir que como todos somos unos «desgraciados», entonces nos sentimos más aliviados. Podríamos inventar un refrán nuevo como el siguiente: «**Mal de algunos, consuelo mío**».

Las uniones afectivas entre personas con el mismo infortunio son percibidas como más valiosas por las personas que tienen ese **vínculo emocional**.

Es como si esas personas hubieran alcanzado el **significado de la vida,** frente a todos aquellos que no han tenido que pasar por ese drama. Han aprendido algo de la tragedia que al parecer no está al alcance del resto de los mortales que no hayan pasado por esa experiencia traumática.

Se produce otro mito o mantra, que solo se puede aprender o interiorizar un aprendizaje ante una situación estresante o dramática que nos ayuda a crecer personalmente. Como si el crecimiento personal solo estuviera unido al sufrimiento y la mala pata en la vida.

Si sufro y lo paso mal, entonces aprendo.

¡¡Entonces solo puedo aprender y crecer en la desgracia!! Me niego a creer que esto ocurra así en todos los casos. Podemos crecer ante el infortunio, y también hacerlo en la plenitud y el desarrollo personal. Simplemente son dos tipos de enseñanzas para poder adquirir una nueva dimensión de nuestra vida.

El dolor y el miedo no son los únicos medicamentos para la transformación personal. Descartemos esto como **creencia**, ya que esta es totalmente limitante para nuestra forma de afrontar lo que nos ocurre en la vida.

A esta vida hemos venido a sufrir

En ocasiones escucho decir esto a algunas personas: «A esta vida hemos venido a sufrir». Mi reflexión es una pregunta que se haría cualquier niño: «¿Por qué?». Personas con cierto recorrido en la vida me hablan de las penurias, calamidades y sinsabores a los que han tenido que enfrentarse en la vida: muertes de personas queridas, escasez de dinero, traiciones, discusiones, conflictos, enfrentamientos, desilusiones...

Y yo les digo: «¿Pero no te acuerdas de los buenos momentos? En aquellos que has disfrutado y reído. En los que has sido feliz». La respuesta de algunas personas deja clara su visión sobre su histórico en la vida: «Han sido más los malos momentos que los buenos».

Eso denota la **actitud negativa**. Si solo recordamos aquello que nos hizo sufrir, en lugar de lo que nos hizo reír o sentirnos alegres, entonces estamos abocados a «vivir sufriendo».

¿Qué te parecería hacer de un drama o una situación dramática una comedia o un juego? Si has visto la película *La vida es bella,* de Roberto Benigni, sabes a lo que me refiero. En dicha película trata uno de los mayores dramas de la humanidad, como es el holocausto vivido en la Segunda Guerra Mundial, como un juego entre padre e hijo.

Hay otras películas, como *Patch Adams*, que tratan la enfermedad desde el humor.

A veces debemos tratar los «minidramas». ¿Cuáles son? Aquellos que nos pasan en nuestra vida cotidiana: vamos de viaje y el hotel no es como esperábamos, hay momentos de aburrimiento, alguien llega tarde y nos fastidia esperar...

Con mis hijos suelo utilizar juegos divertidos, riéndonos de situaciones cuando dicen la temida frase por los padres: «Me aburro». Suelo jugar a adivinar a qué se dedican las personas con las que nos cruzamos, o cuál es su situación personal, o si alguien se ha tirado una ventosidad... Se trata de hacer que lo aburrido o monótono se convierta en divertido.

¿Y si estás solo? Yo juego a adivinar cómo es una persona observándola, o bien intentando escuchar «conversaciones ajenas» para ver qué tipo de vida llevan. Eso roza el voyerismo, pero nunca me aburro.

La vida puede ser una **desgracia** o una **aventura,** según nos la tomemos.

Cuando hacemos algo cotidiano, lo podemos transformar en aburrido y monótono o en algo apasionante. Eso depende de nosotros.

De cualquier día, incluso el más gris, se puede sacar algo positivo para vivir como una aventura.

Cualquier acto cotidiano, como vestirse, conducir, lavar los platos o hacer la cama, puede hacerse de forma excitante y divertida si nos lo proponemos. Por ejemplo, conduzco con la música a todo trapo y suelo cantar bastante alto. Lavando los platos practico mis dotes de cantautor en un karaoke improvisado.

Vivir como un aventura la vida también supone **arriesgar.** Se trata de hacer cosas diferentes, y reírte si no salen bien.

Cuando salgo de viaje fuera de España, suelo pedir la carta en el idioma del país al que viajo (cuando no lo conozco) y con el dedo apunto hacia un plato al azar y lo pido para la comanda. He llegado a tomar hígado crudo (asqueroso) y he llegado a descubrir una delicia de comida que hoy forma parte de mi dieta en España (las *pierogi* polacas). Cuando salió mal, me reí inmediatamente (pedí *saucisee* en Francia creyendo que era algo exótico y me trajeron salchichón).

Decía **Einstein** que hay dos formas de vivir la vida. Una como si nada fuera un milagro, y otra como si todo fuera un milagro. Los «milagros» de Einstein no son místicos o prodigiosos, son cotidianos.

Dice **Pablo D'Ors** en su libro *Biografía del silencio*: «Lo que realmente mata al hombre es la rutina. Lo que le salva es la creatividad, es decir, la capacidad para vislumbrar y rescatar la novedad».

«Preguntas trampa» que nos hacemos y que implican sufrimiento

Forman parte de nuestro **diálogo interior**. Y es que cuando nos hablamos de esa manera, las consecuencias pueden ser catastróficas.

Estas son algunas de las más frecuentes:

¿Por qué, por qué, por qué me ocurre esto?

¿Por qué a mí? ¿Por qué no a otros?

¿Qué he hecho mal? ¿Es por algo que estoy haciendo mal?

¿Por qué ahora?

¿Cuánto durará? ¿Seguiré sufriendo mucho tiempo? ¿Irá a peor?

¿Por qué la vida me trata injustamente?

¿Por qué me pasa todo lo malo a mí?

¿Por qué nada me sale bien?

¿Por qué nadie me ayuda? ¿Por qué la gente es tan falsa?

¿Es mi vida un desastre? ¿Es peor que la de los demás?

¿Por qué a los demás no les ocurre lo mismo que a mí? ¿Estaré teniendo un castigo que viene de alguien superior?

Si soy buena persona, ¿por qué me ocurren cosas malas?

¿Qué puedo cambiar para dejar de sufrir?

¿Va a ser toda mi vida así?

¿Cómo puedo acallar esta voz interior que me atormenta?

Son preguntas que van martilleando nuestra mente, que nos atrapan y golpean, casi siempre en los momentos de angustia y dolor.

Forman parte de un dialogo interior tóxico.

Nos llevan directamente al estrés y la ansiedad por una autopista rápida de dolor y sufrimiento.

¿Por qué nos gusta ser víctimas?

Quizás porque es más cómodo y sencillo sentirse víctima. Porque la responsabilidad recae en otros o en elementos externos: me tienen manía, van a por mí, me odian, tengo mala suerte, nada me sale bien...

Pero gran parte de la culpa de que adoremos el papel de víctima lo tenemos entre todos. Está aceptado socialmente sentir lástima por y dar apoyo (moral, eso sí) a las «víctimas». Si sentimos que alguien está siendo atacado, nos ponemos al lado de esa persona. Ese apoyo que prestamos al que está siendo atacado le reconforta y le hace gustarse en ese papel, por lo que repetirá el patrón de víctima en esa o esas situaciones diferentes, para sentir el **RECONOCIMIENTO** de los demás.

En la sociedad actual vemos cómo las personas a las que consideramos «víctimas», porque son atacadas injustamente por sus detractores, reciben más apoyos con posterioridad a ese «ataque injusto».

Hemos normalizado la situación de víctima y en algún momento todos podemos tener comodidad al sentirnos víctimas.

¿Cómo se sale de ese círculo? El victimismo se vence con **valentía**. Se trata de reconocernos como capaces de resolver las situaciones sin necesidad de sentirnos o parecer víctimas ante los demás.

Consiste en **DESDRAMATIZARNOS** a nosotros mismos quitándonos importancia como víctimas y asumiendo un rol de **Héroe**, capaz de afrontar las situaciones sin necesidad de otorgarse un papel damnificado o perjudicado por los demás.

Las personas que ponen en manos de «fuerzas externas» lo que les pueda pasar, cosas como el destino, el azar, la suerte, la providencia, los astros..., y ponen el control de su situación en esas fuerzas, se dejan llevar por los acontecimientos y no suelen reaccionar ante situaciones de desgracia o complicaciones y se resignan a su «suerte» sin capacidad de afrontar el problema.

Dejar en «manos de terceros» lo bueno o malo que nos ocurra en la vida nos puede llevar a la inacción y a la **resignación** de «esto es lo que me ha tocado». Cuando luchamos y creemos firmemente que lo que ocurra, o cómo actuamos ante lo que nos pasa, depende de nosotros, entonces solemos batallar con más fuerza y determinación, y somos más resistentes a las calamidades o infortunios.

La confianza que tenemos de que ocurra lo que deseamos nos aleja del fatalismo y la indefensión.

Sufrimiento por lo que piensan de nosotros los demás

Tenemos una idea clara de cómo **somos**, aunque no todo el mundo lo tiene tan claro.

Nuestro ser es lo que nos da significado como seres humanos. Por eso creemos saber lo que somos «según nuestra opinión».

Pero ¿qué somos para los demás?

Lo que somos para los que nos rodean forma parte de unas opiniones creadas en torno a una observación, más o menos minuciosa, de lo que decimos y cómo nos comportamos.

Cómo somos para los demás es un cúmulo de opiniones y creencias basado en algunas observaciones o elucubraciones propias o con terceras personas.

Algo que suele funcionar es preguntar a los demás cómo nos ven y que nos expliquen por qué nos ven así y en qué se basan.

¿Nos ve todo el mundo de igual manera?

¿Cuál es el criterio correcto?

Nuestro ser NO viene determinado por los demás, sino por nosotros mismos. Si somos honestos con nosotros, deberíamos saber definir lo que somos, ya que soy la persona que mejor conozco porque vivo veinticuatro horas al día conmigo mismo

Hace un tiempo cuestionaba con un sacerdote el arrepentimiento de un pecado que se sabe se va a seguir cometiendo. La reflexión conjunta era sobre el propósito de enmienda. Yo sé que lo que hago está mal (pecado para la religión), pero, aunque conozco la esencia de mi acto, no puedo dejar de hacerlo por falta de voluntad. El propósito de enmienda nos indica el camino a un bien superior, donde estamos plenos con cómo actuamos. Es posterior al arrepentimiento y anterior al pecado, e implica una intención firme de cambiar mi comportamiento.

Una medida del sufrimiento humano consiste en demostrar a los demás que somos **inteligentes,** o que parecemos inteligentes, o que no somos tontos.

Si somos inteligentes, ¿no nos debería dar igual lo que opinan los demás?

Necesitamos sentirnos **aceptados,** o al menos no ser rechazados. Por eso queremos demostrar inteligencia y conocimiento. No queremos pasar por tontos o ignorantes ante los demás.

Consecuencias de retener aquello que nos produce mal

Existe una gran similitud en retener aquellos sentimientos que nos sientan mal con retener las **inevitables** ganas de ir al baño

Consecuencias de aguantar las ganas de ir al baño:

- Infección urinaria. Al igual que en las emociones, las infecciones se producen cuando algo queda dentro de nosotros que es dañino para nuestro cuerpo, que termina generándonos infecciones tales como malestar, ansiedad, depresión... Cuando aguantamos nuestro padecimiento, seguramente terminará pudriéndose y afectándonos de manera completa.
- Cálculo en los riñones. Esto lo podemos asimilar a que algunos órganos vitales pueden empezar a fallar. En el caso de las emociones, podemos perder empatía con las personas o generar desafección; también puede producirse desconfianza con las personas.
- Ensanchamiento de la vejiga. Cuando aguantamos situaciones que nos hacen mal y nos frustran, empezamos a aumentar nuestra capacidad de aguante sobre situaciones que nos hacen daño y nos duelen. Ese ensanchamiento de aguantar más sufrimiento y malestar hace que nos encontremos peor cada vez más, ya que nuestro nivel de aguante va aumentando y superando poco a poco lo permisible.

Retener en nosotros aquello que nos produce malestar hace que se pudra y haga que el resto de las cosas funcionen mal, y nos centremos en ese malestar.

Saquemos fuera y expulsemos aquello que nos sobra, que se pudre, que es un desperdicio, que no merece la pena retener.

Si lanzamos fuera de nosotros nuestra «mierda», nos sentiremos más ligeros y menos enmierdados. El cuerpo es sabio; hagámosle caso.

Siempre hay alguien que está en peor situación que tú

Cuando me pongo a escuchar las «desgracias» de los demás, intento empatizar con la persona que está contando su «drama».

Cuando se juntan dos «desdichados», la hecatombe se ve venir.

Conversaciones entre dos personas que se consideran desafortunadas:

—*Mi pareja me ha puesto los cuernos.* —*Yo nunca he tenido a nadie que me haya querido.*

—*Mis padres no me comprenden.* —*Mi padre nos dejó cuando yo era pequeño y mi madre murió de una enfermedad.*

—*Mis hijos me tienen harto, no puedo más.* —*Mi pareja y yo no podemos tener hijos, aunque los deseamos.*

—*Mi trabajo es una mierda.* —*Hace ya mucho tiempo que estoy sin trabajo, hago muchas entrevistas y nunca me cogen, no puedo más.*

—*Estoy sin un duro, voy al límite.* —*Me van a quitar la casa por las deudas y no tengo ni para comprarme ropa.*

—*He suspendido mi curso y tendré que repetir.* —*No puedo estudiar porque tengo que trabajar para mantener a mi familia.*

Siempre hay alguien en una posición peor que la tuya. La **queja** es un derecho al pataleo que todos tenemos. La reflexión sobre si todos los males recaen sobre nosotros nos lleva a la lógica de pensar que «siempre hay alguien en peor situación».

¿Esto no debe aliviar? Ni de broma. Nos debe hacer pensar que toda situación es remontable o que puede ir a peor. Debería ser un acicate para reaccionar, pero si no fuera así, ¡¡al menos ríete de ello!!

- *No tengo trabajo, pero soy más guapo que la media de mi edad.*

- *Mi pareja me ha puesto los cuernos y eso me hará ser la víctima y así dar pena a otras personas para poder conseguir otra relación o al menos algo de sexo.*

- *Mis padres no me entienden, pero mis amigos me entienden demasiado bien, sobre todo cuando salimos por ahí a dar una vuelta.*

- *Mis hijos me tienen harto. Estoy pensando en ponerlos en alquiler para que puteen a otras personas que son felices.*

- *No tengo dinero, pero mi habilidad para cocinar excede en mucho al de otras personas.*

Gestionar nuestra «**desdicha**» puede que no nos haga remontar la emoción de sentirnos desgraciados, aunque quizás lo alivie. Regodearnos en nuestra «**fatalidad**» tampoco nos libera de nada, solo aumenta nuestro sufrimiento. ¿Qué prefieres hacer entonces?

El suicidio como final de un enemigo silencioso: el sufrimiento

«La persona que abandona voluntariamente la vida no quiere morir, solo quiere dejar de sufrir».

Las estadísticas lo dejan claro:

- Hay más muertes por suicido que por accidentes de tráfico.
- El número de suicidios aumenta un 20% después de una crisis económica.
- Por cada suicidio hay entre 10 y 20 tentativas de suicidarse.
- Los suicidios son la primera causa de muerte externa en España, según datos del año 2018:
  - Cada día 10 personas se quitan la vida en España.
  - Casi 35.000 personas se han suicidado en España durante la última década.
  - Es la **primera causa de muerte no natural** en nuestro país, por delante de los accidentes de tráfico.

○ Un total de **3.910** personas (2.938 hombres y 972 mujeres) falleció por este motivo durante 2014. Curiosamente, **más hombres que mujeres** en mayor proporción. En 2018 fueron 3.679 personas.

Muchos suicidios, que no están contabilizados en las estadísticas oficiales, son camuflados como accidentes: accidentes de tráfico, accidentes de hogar, accidentes en la calle o en la naturaleza…

Lamentablemente, el suicidio no es una prioridad para la Salud Publica.

Y luego está lo que ocurre en el entorno de la víctima, los amigos y familiares que sobreviven a la tragedia. La gran mayoría no suele aceptar bien ese hecho traumático. Se plantean si podrían haber hecho algo más, o si tienen cierta responsabilidad en el asunto. Por lo que cada suicidio destroza a un entorno cercano durante bastante tiempo. Se calcula que por cada fallecido por propia voluntad al menos siete personas cercanas quedan rotas de dolor.

Según algunos estudios, los varones tienen 7 veces más riesgo de suicidio que las mujeres ante una tragedia como la pérdida de la pareja o de un trabajo. Además de cada 4 suicidios, 3 son de hombres y 1 de mujer.

El suicidio es un drama social

Por eso lanzo las siguientes preguntas para reflexionar:

- ¿Qué lleva a una persona a suicidarse?
- ¿Cómo comienzan los pensamientos suicidas?
- ¿La desesperación es tan grande como para apartarse de todo definitivamente?
- ¿Son los suicidas locos?
- ¿Por qué se suicidan más hombres que mujeres?
- ¿Puede la desdramatización de pequeñas y grandes cosas ayudar a alejar pensamientos suicidas?

Es hora de ponerse manos a la obra en este asunto y poder gestionar las medidas de prevención y tratamiento igual que afrontamos las enfermedades y las curas de las epidemias.

Si no lo hacemos pronto, la siguiente crisis nos arrastrará de nuevo con estadísticas espeluznantes.

Dominar el sufrimiento

Voy a contarte uno de los grandes secretos para dominar el **sufrimiento.** ¿Sabes por qué algunas personas sufren menos? Tienen la experiencia de haber pasado por situaciones por las que no merece la pena sufrir.

Esto suele ocurrir mucho a las personas mayores, que han vivido ya muchas cosas. Miran desde la perspectiva del pasado diciéndose a sí mismos: qué imbécil fui... Por eso recomiendo hablar con una persona mayor y experimentada cuando se está pasando por un proceso de padecimiento o dolor «del alma».

La «pregunta poderosa» sería: ¿puedo pasar esta situación sin tener que pasar por él sufrimiento?

Alejarse del problema para coger distancia observadora es muy difícil cuando te encuentras inmerso en este. Por mucho que te digan que lo veas de otra manera, cuesta mucho hacerlo porque no dejas de darle vueltas.

Mi admirado **Luis Castellanos,** en su libro *El lenguaje de la felicidad,* no lo podía explicar mejor y con mayor profundidad:

> *El alma de la realidad no son los hechos, no es lo que sucede, es lo que nos sucede, son nuestros sentimientos.*
>
> *El sufrimiento termina por dominar todos los sentidos: la vista, el oído, el tacto..., la imaginación. Tal era su poder que ni se me ocurría la pregunta básica: ¿Cómo puedo salir de aquí? ¿Cómo puedo recomponer mi corazón apesadumbrado?*
>
> *[...] el primer paso es darse cuenta, tomar conciencia para estar atentos a lo que sucede, al sufrimiento, a los sentimientos que tenemos ante los sucesos de nuestra vida y decidir qué hacemos aquí y ahora en este pequeño y poderoso instante.*

¿Qué podemos hacer ante esta tortura que nos autoinfringimos? Existen diferentes alternativas:

- Hablar con un buen amigo que te quiere y que te diga cómo lo ve desde su punto de vista.
- Consultar con un experto o alguien a quien respetas por su opinión y sabiduría para que te dé un nuevo punto de vista. En esta ocasión, hablar con una persona mayor puede ayudarte.

Una posibilidad que a mí me funciona es recordar o rememorar una situación, parecida o no, del pasado que, viéndola con la perspectiva en el presente, no nos parece tan importante o angustiosa.

Las preguntas que debes hacerte son: ¿Cómo actué en otra ocasión con un problema similar? ¿Qué aprendí? ¿Qué puedo aplicar?

La culpa y el perdón

¿Cuál es el drama que yo genero a los demás? ¿Cómo se sienten los demás con mis comportamientos o actitudes? ¿Soy consciente de los dramas que puedo generar o he generado? ¿Puedo pedir perdón? ¿Puedo cambiar mi comportamiento?

Si hay algo que marcó mi vida para siempre, fue el **curso** sobre la «La culpa y el perdón» que realice ya hace algunos años.

Todos los aprendizajes que pude descubrir durante este curso he querido compartirlos en este capítulo.

Sin dudarlo, puedo afirmar que a mí me sirvieron para resolver algunos «dilemas» en mi vida. Espero que a ti, querido lector, también te sirvan.

La culpa

¿Os arrepentís de algo en vuestra vida? Todos podemos tener algo que nos habría gustado hacer de otra manera o haber gestionado mejor. El arrepentimiento forma parte de nuestra vida, aunque a veces nos cueste reconocerlo en público. Eso sí, ronda alrededor de nuestro pensamiento.

Arrepentirse y la culpa son dos conceptos diferentes.

En una situación me equivoqué, y lo reconozco porque así lo siento. ¿He aprendido algo? ¿Puedo aplicarlo a partir de ese momento en mi vida?

Me equivoqué y soy culpable. Ese estado me atormenta y me hace sufrir. ¿Cómo afecta eso en mi vida? ¿Me persigue la culpa? ¿Soy culpable para siempre hasta el final de mis días?

Lo reconozco, soy culpable. Me equivoqué. Lo hice mal. La cagué. Y mucho. Algunas personas fueron perjudicadas por mi error. Decepcioné a algunas personas. Lo siento, y lamento el daño que les hice. No actué bien. Si tuviera la oportunidad de volver atrás, no lo haría igual... ¿O sí? No sé lo que sé ahora. No tengo la misma experiencia. No había acumulado aciertos y errores. ¿No la volvería a cagar? Qué importa; eso es pasado, no volverá. Debo vivir con ello y poder aprender algo para mis futuras decisiones.

¿Y ahora qué hago con mi culpa? ¿Me sigo regodeando en ella? ¿Me perseguirá hasta el final de mis días?

Ser culpable no significa serlo para siempre. La culpa es el mayor castigo que nos autoinfringimos, por lo tanto…, ¡¡dejemos de ser nuestros verdugos!!

Lo que pasa por las noches cuando le damos vueltas a todo es lo más parecido a la tortura de la gota de la Inquisición: golpea nuestra cabeza hasta volvernos locos. ¿Estás dispuesto a golpearte de esa manera?

Si hay algo que nos lastra como seres humanos, que nos atormenta, que nos hace sentirnos fracasados y peores personas, ese es el sentimiento de la **culpa**.

La responsabilidad que nos acompaña desde la edad adulta trae consigo a veces un peso insufrible. Tenemos responsabilidades por todos lados, y eso hace que nos sintamos culpables de no alcanzar esos objetivos que nos marcamos, que nos autoimponemos o que nos impone a veces la sociedad.

Sacar los estudios, conseguir un trabajo, mejorar en el trabajo, encontrar pareja, tener hijos, comprarse una casa, tener un coche, poder irse de vacaciones a muchos sitios… Todos esos hitos pueden suponer objetivos fallidos o fracasos de los que nos sentimos culpables.

Si encima nos acercamos a la peor sensación de todas, puede llegar a ser algo horroroso. Me refiero a la **comparación.** Cuando nos comparamos o nos comparamos con los demás, estamos igualando opciones frente a personas que son diferentes. ¿Cómo se puede comparar un ser humano con otro si son totalmente distintos? Aunque tengan circunstancias similares, suelen sentir, reaccionar y pensar de manera distinta en muchos casos.

Por eso la culpa nos acompaña durante toda nuestra vida, por no conseguir lo que queremos o deseamos, o al menos lo que creemos que queremos y deseamos.

Se establecen entonces las **conversaciones interiores**, que son aquellas que «criminalizan» nuestros actos por el peor crítico que tenemos: nosotros mismos.

Solemos ser muy duros con nuestro comportamiento, actos y resultados, en ocasiones mucho más de lo que seríamos con otras personas. Solemos ser **compasivos** y **tolerantes** con los demás, y muchas veces no lo somos con nosotros mismos, siendo rígidos, severos y en ocasiones **crueles** con nuestra propia persona.

Por eso estoy convencido de que la **autocompasión** —entendida como el derecho que tenemos de lamentarnos de nuestros errores, pero también de perdonarnos, de dejar ir estos errores, para así poder afrontar las nuevas situaciones desde el amor propio que debemos tenernos— es la mejor cura que existe frente a la culpa.

Sentir que eres el ser al que más amas en este mundo no es egoísmo, es un acto de amor natural que nos ayuda a poder amar a los demás.

El resentimiento y el rencor

El resentimiento está compuesto de **dolor + rabia**. También lo conocemos como **rencor**, que viene de la palabra del latín *rancer*, que a su vez tiene que ver con **rancio**. Es decir, que el rencor es aquello que no se utilizó cuando se debía expresar enfado y dolor, y se ha quedado enquistado y se ha vuelto rancio.

El modo de expresar lo que sentimos tiene que ver mucho con la manera en que he ido aprendiendo en la vida a sobrevivir. Lo que utilizaron conmigo y me dolió. Aquello que según mis creencias surte efecto a la hora de defenderme de los demás o de un peligro que detecto.

En nuestra sociedad está muy mal visto decir que tengo rencor. Se tilda a las personas en formato negativo como «rencorosas» o «resentidas». Lo que pasa en estos casos es que el resentimiento solo está asociado al **enfado** y se ha disociado del **dolor,** que es parte fundamental de ese resentimiento.

Todos tenemos casi el mismo potencial y talento semejante para experimentar resentimiento, lo que pasa es cada uno tenemos un umbral diferente de sentir enfado y dolor.

Hace unos años realicé un **Curso sobre el rencor y el perdón** (Si, existe formación sobre estos temas) y pude recopilar algunos aprendizajes muy valiosos para mi vida personal y que quiero compartir en este libro.

Algunos de los hábitos o enseñanzas que se enseñaron en el curso para evitar que el resentimiento se vuelva *rancio* son las siguientes:

* **Enfadarse adecuadamente.** Es decir, mostrar el enfado en tiempo y forma adecuada en su justo momento y expresar por qué estamos enfadados.
* **Poder reconocer y expresar el dolor.** Se trata de hacer explícito nuestro dolor y no acallarlo y guardarlo para otra ocasión para sacarlo a la luz. Se trata de exponer: «Me ha dolido esto que me has hecho/dicho por esta razón o causa».
* **Darme permiso para sentir ambos sentimientos.** No debemos sentirnos mal por sentir rabia y dolor. Es algo que en algún momento de nuestra vida sentimos todas las personas, y no es algo reprobable.

El resentimiento vuelve cuando rumiamos nuestros pensamientos sobre lo que nos ha provocado el enfado. Rumiar es una acción digestiva de las vacas, pero en el ser humano perjudica a nuestro ser espiritual y físico.

Es una protección inicial en el tiempo, por tanto, SÍ me sirve en el inicio del enfado. Me aseguro de que he aprendido la lección y no vuelvo a pasar por otra situación similar. Es decir, no me **expongo** más.

Si de la protección inicial empezamos a rumiar lo sucedido, me enfado más, enfrío el dolor, me encierro en mí mismo. Con ello puedo a llegar a perder la perspectiva de lo que pasó, y con el tiempo ya no sé ni por qué empecé a protegerme, y empiezo a defenderme de cualquier situación que me exponga, incluso aunque no tenga nada que ver con lo que me sucedió.

Cuanto más vueltas le doy a la situación, más me encierro, me aíslo y me resiento con la persona que me enfadó y también con los demás, ya que creo que todos se pueden comportar de la misma manera.

Quiero hacer pagar a la persona la deuda del dolor que yo he ido agrandando y rumiando sin expresarlo, y entran otras personas ajenas a ese conflicto y las hago deudoras de mi enfado, y también quiero saldar cuentas con ellas. Esto se convierte en una espiral en la que se produce la **desconfianza**.

Existe rencor con nosotros mismos cuando nos reprochamos algunas cosas. Aun con todo lo que me haya pasado en la vida, siempre puedo elegir mis relaciones, asumir de forma consciente la decisión que tomé en su momento de relacionarme o no con quien me hizo daño. No es obligatorio relacionarse con todas las personas, lo importante siempre es hacerse cargo de lo que elijo. Además, debemos saber que hay casos en los que la situación no puede seguir siendo como antes, debido al gran daño realizado por la otra persona.

Hay personas «coleccionistas de resentimientos» que están esperando la oportunidad de arrojarlos contra alguien. Culpan a los demás por su malestar y esperan que sean los otros los que cambien para que satisfagan mis necesidades y salden las cuentas pendientes por mi rencor, que no les pertenece.

Hay personas que esperan que la persona que nos hizo daño **se dé cuenta** de su falta. Debemos tener en cuenta que las personas no son adivinas, o que quizás esa persona no quiera darse por enterada. Entonces, lo mejor para sanar la herida es tomar la iniciativa y manifestar lo que nos pasa, ya que nuestro silencio puede enquistar el problema.

Todo **sentimiento**, incluyendo el resentimiento, es una fuente muy rica de conocerse a sí mismo. Es una fuente de información que me hace sentir lo que está pasando y ver posibilidades de abordarlo. No perdamos la fuerza que nos dan las emociones, dejemos que fluyan, ante todo tomando conciencia que son mías y de nadie más, para así poder sentirlas y evaluarlas para poder darles una salida.

El perdón

La palabra **perdón** viene del latín y está compuesto por *per,* que significa *por encima de* / *por completo,* y *donar,* que, como se puede interpretar, viene de *regalar;* es decir, conceder por completo un don o un regalo.

Lo que hay que tener claro es que el proceso del perdón **se da en quien perdona** y no en el ofensor, y que el principal beneficio lo obtiene quien perdona y no quien agrede. Es preciso que yo no espere alteraciones de conducta en el ofensor, sino caminar yo hacia la **libertad.**

El perdón no va a cambiar mi pasado, pero sí me hace vivir de una forma liberada mi **presente** y ensanchar mi **futuro.** Si bien el agresor me hizo daño, el perdón es quitarle al ofensor el poder de seguir haciéndomelo. Él tendrá que hacer su propio recorrido en la vida; yo decido hacer el mío perdonando.

En hebreo, perdón es *«athiemi»,* que significa **dejar ir,** soltar, desatar, alejar. Hay que tomar en cuenta que perdonar no significa necesariamente **reconci-liarse** con la otra persona, ya que a veces esto no es posible debido al gran daño producido, o no se quiere volver a ser igual o tener la misma situación que antes de la ofensa. Esto no impide el perdón. Puedo perdonar y no reconciliarme.

Perdonar tiene una importancia incluso de cara a nuestra **salud física.** Hay muchos estudios que concluyen que no perdonar o guardar rencor por mucho tiempo tiene que ver con problemas de estrés, vasculares, del sistema nervioso, de artrosis, e incluso de cáncer.

Perdonar es un proceso, es una decisión, No es una meta, es un proceso continuo de liberación interior. Perdonar es disolver el **rencor** que siento hacia las personas que me hirieron. El perdón no es un acto que pueda denominarse automático, semejante a mover la cabeza o mover una parte de tu cuerpo; requiere un **proceso.**

Uno de los primeros pasos para perdonar es **«legitimar»** mi enfado y dolor. A veces esto es posible hacerlo directamente con la persona que me hirió, siendo esta la mejor opción, aunque, en caso de que por diferentes razones no se pueda hacer, es bueno buscar a alguien que nos **escuche y comprenda** sin juzgarnos ni dar consejos, tan solo que acoja nuestro dolor y enfado para poder legitimarlo.

Perdonar lleva **tiempo.** Podemos llegar a pensar que esa persona actuó así porque no supo o no podía hacerlo de otra manera, según su experiencia de vida, su repertorio de solución de conflictos, su historia familiar y de relación con otras personas, su situación personal en ese instante… Esta comprensión de las circunstancias ayudará a iniciar el proceso de perdón.

Una dificultad a la hora de perdonar es la magnitud de la **herida**, ya que cuanto más profunda es esta, más difícil es el perdón.

El perdón aumenta la **calidad de vida** para no dar rienda suelta a una espiral de dolor.

Nadie merece ser herido, aunque en algunas ocasiones hemos escuchado la famosa frase «quien bien te quiere te hará sufrir». Esta frase tiene un gran peligro, ya que puede ser perfectamente una manipulación que justifique una agresión como parte del «aprendizaje». ¿Por qué nos tienen que hacer sufrir los que nos quieren? ¿Pueden evitarlo y hacer las cosas de otra manera? Esto no es admisible. Ya la vida tiene bastantes sufrimientos como para que los que más queremos nos los infrinjan de manera innecesaria. Esto de «la letra con sangre entra» no es el mejor método de aprendizaje implantado en la historia de la humanidad. Es más bien sádico.

El perdón es una **elección** que implica o bien asfixiarnos y amargarnos, o bien perdonar y dejar de lado las ganas de ejecutar la **venganza**. De nuevo algunas frases, que seguramente vienen de personas vengativas, como:

- Donde las dan las toman.
- *El que la hace la paga.*
- *La venganza es un plato que se sirve frío.*
- *Ojo por ojo, diente por diente.*
- *Pagar con la misma moneda.*

La palabra venganza proviene de *vindicare*, relacionado con *vindex*, que está compuesta por *vis, que significa* **fuerza,** y la palabra *index*, que significa **indicador.** De ahí vienen muchas palabras como *violencia, violación*… La venganza es un placer momentáneo, y debemos tener en cuenta que «un acto de justicia permite cerrar un capítulo; un acto de venganza escribe otro nuevo». El perdón no niega la **justicia.**

Me gustaría poner un resumen de un cuadro sobre las conclusiones del **Curso sobre el perdón** que realicé hace ya algunos años y que me hizo aprender todo esto que hoy expongo en este libro sobre lo que **es perdonar** y lo que **no es perdonar.**

PERDONAR NO ES...	PERDONAR ES...
Dar el perdón cuanto antes.	Perdonar conlleva **tiempo**. Debemos permitirnos el tiempo que sea necesario.
Llevar la fiesta en paz.	Dar la misericordia y **compasión** al otro.
Poner una venda a una herida.	Cambiar la rumia de mis sentimientos dolidos por una **libertad** más gozosa.
Aceptar la conducta del ofensor.	**Legitimar** mi **dolor** y mi **enfado** por lo sucedido.
Disculpar la actitud del ofensor.	Reconstruir la **paz interior** y recuperar la capacidad de volver a confiar en la vida y en los demás.
Adoptar una postura neutral ante los hechos.	Quitar al ofensor de una vez por todas la capacidad de seguir haciéndome daño.
Olvidar la conducta del agresor.	Poder recordar la ofensa de otra manera
Justificar la conducta del agresor.	Entender que no hay razones para ofender a otro.
Tranquilizarme sin más.	Curar de una vez por todas la herida infectada.
Pensar que lo que me hicieron es aceptable.	Mantener abierta la puerta del **diálogo** en caso de que se desee o se pueda continuar la relación.
Reconciliarse necesariamente.	Prescindir de la **venganza.**
Esperar cambios en el ofensor.	**Dejar ir,** y desatar nudos en mi vida.
Que yo decida iniciar el proceso de perdón hasta que la otra persona no venga a pedirme perdón y subsane el daño que me hizo.	Convencerme de que el agresor no merece vivir más en mi cabeza.
Cumplir un mandato externo.	Deshacer el vínculo del **rencor.**
Asumir que lo que sucedió fue culpa nuestra.	Un regalo que nos hacemos a nosotros mismos.
Quitar responsabilidad al ofensor.	Hacernos responsable de cómo nos comportamos y que sentimos.
Asumir la responsabilidad de lo ocurrido.	Aprovechar el tiempo y no gastarlo en querer cambiar a los demás.
Sentirnos superiores.	Dejar de hacer daño a los que no han tenido nada que ver con lo que pasó.

PERDONAR NO ES...	PERDONAR ES...
Cambiar nuestra manera de decidir.	Mirar lo sucedido como una oportunidad para **crecer y cambiar** dentro de mí.
Ser ingenuos.	Acogerme a mi capacidad de libertad y de decidir qué hacer con mi vida.
Permitir que el ofensor se salga con la suya.	Recuperar una visión realista respecto a quién es la persona que nos ha ofendido.
Pretender que todo está bien.	Perdonarse también a uno mismo.

¿Puedes descansar contigo mismo y recuperar tu paz interior con el **perdón?**

Todos vamos a morir

Vamos a morir. Todos vamos a morir. Tarde o temprano todos moriremos.

Aceptémoslo. No somos inmortales, aunque a veces vivamos creyendo que lo somos.

Vivimos la vida con el síndrome de felicidad aplazada:

> El niño piensa que será feliz cuando sea mayor.
> El joven será feliz cuando sea independiente, sobre todo económicamente.
> El adulto de treinta años será feliz cuando tenga una buena posición profesional y gane un buen dinero.
> El sénior de cuarenta/cincuenta años será feliz cuando se jubile.
> El jubilado tiene dolores físicos y anhela sus años de juventud.
> El anciano está cansado de vivir, le duele todo y ha visto de todo en su vida; será feliz cuando descanse de una vez por todas…, en una dulce muerte.

Todos moriremos, lo que no sabemos es cuándo.

No merece la pena vivir enfadados o con rencor. Míralo todo con perspectiva. Haz una prueba, aunque te advierto que necesitas tiempo. Anota hoy aquello que te está haciendo sentir mal o te tiene enfadado. Revísalo dentro de seis meses. ¿Te sigue afectando igual? Vuelve a revisarlo dentro de un año. ¿Sientes lo mismo? Luego, tres años, cinco años, diez años… Estoy seguro de que lo ves de distinta manera, con otro criterio, desde la distancia, desde la experiencia, desde la sabiduría.

Muchas personas cambian su visión de la vida con un hecho traumático, la muerte de un ser querido, ver la posibilidad de morir de cerca a alguien, una enfermedad grave, un accidente que les deja secuelas. ¿Vamos a esperar a que nos ocurra esto para cambiar nuestra forma de ver las cosas?

Sé que voy a morir, por eso disfruto de la vida cada día. Asumo que moriré, por eso me apasiono fácilmente, por ello confío en las personas, porque, aunque a veces me decepcionen, muchas más veces disfruto con ellas. Tengo que morirme, no siempre voy a disfrutar como ahora. Si he de morir, que sea viviendo.

Nos da más miedo el «cómo vamos a morir» que la muerte

Según las estadísticas, tenemos más posibilidades de quitarnos la vida por una depresión que morir porque alguien nos quite la vida en un suceso dramático (un acto violento inesperado, una agresión, un ataque terrorista...). Por eso quizás deberíamos invertir más dinero en psicólogos o psiquiatras que en seguridad personal.

Y la prevención de enfermedades también nos sale más a cuenta. Hay millones de personas en el mundo que mueren en un hospital debido a complicaciones (muerte en el quirófano, mal suministro de fármacos, coger infecciones en el hospital, fallos de diagnóstico...), por lo que si nos cuidamos, menos posibilidades tenemos de pisar un hospital.

La incertidumbre de cómo vamos a morir y si vamos a sufrir nos genera más miedo que la muerte misma. La angustia de morir en un avión que cae en picado es muy grande al pensar en esos últimos momentos de sufrimientos mientras el avión cae, pensando en un final seguro y casi inevitable. Nos intranquiliza mucho el modo en que vamos a morir y nos aterra el sufrimiento.

La incertidumbre nos supone mayor angustia que lo «malo conocido», y por eso nos manejamos mejor en situaciones de certidumbre, aunque sean más peligrosas para nuestra salud.

En tiempos de COVID, los jóvenes generalmente han tenido menos miedo a infectarse porque confían en que a ellos «no les tocará», ya que los datos que ofrecen las estadísticas de pocas muertes en franjas de edad en personas jóvenes les hace tener esa confianza. Eso los convierte en más «imprudentes» ante la «certidumbre» de no sufrimiento por la enfermedad o posible muerte, frente a un límite de su «libertad» en esos momentos.

El verdadero terror, el auténtico «coco», es el sufrimiento y el dolor «insoportable» ante la muerte. Eso hace que podamos tomar decisiones ante circunstancias que nos puedan provocar ese miedo a esa tortura y angustia que supone sufrir durante ese final de la vida.

Reírse de la muerte

Vas a morir, tarde o temprano vas a morir. ¿Te queda claro? Te lo repito, estás condenado a morir. Asumir esto sin obsesionarse formará parte de nuestra plenitud durante el trayecto de nuestra vida.

Te propongo algo: **ríete de la muerte.** No se trata de ser el más valiente o un superhéroe. Tampoco de vivir alocadamente o con riesgo máximo.

Se trata de desdramatizar la muerte. La tuya y la de los que te rodean.

¡¡Pero estás loco!! ¡¡La muerte es lo peor!! La muerte de un ser querido es algo horrible y genera un grandísimo sufrimiento. Y es cierto. Aun así, respóndete a estas preguntas:

- ¿Puedes evitar esa muerte? Si pudieras, ¿lo harías?
- ¿Alguna vez tendrás que enfrentarte con la muerte de un ser querido o cercano? ¿Cuánto tiempo estas dispuesto a sufrir por esa muerte?
- La pérdida de un hijo es uno de los eventos más dolorosos al que podemos enfrentarnos. Las personas que lo han vivido no pueden expresar con palabras lo que sienten. Algunas de esas personas se convierten en zombis vivientes, apenas son capaces de soportar ese dolor en su vida y lo reviven constantemente. Mi máxima consideración para esas personas. Sería una osadía despreciar o minimizar la importancia de su dolor. Solo quiero compartir esta reflexión: ¿merece la pena vivir estancado en ese dolor? ¿Crees que tu hijo/a querría que vivieses de esa manera?

Reírse de la muerte es aceptarla, digerirla e incluso vivirla. Se trata de gestionar su presencia en nuestra vida como parte de esta.

Me gusta reírme de las situaciones mortales, siempre con cariño y cuidado, pero utilizando el humor ante el hecho más catastrófico que nos puede ocurrir en la vida, que es morirse.

Siempre digo, cuando sale este asunto de la muerte, que personalmente me viene muy mal morirme ahora porque estoy muy ocupado y tengo muchos líos y proyectos por cumplir. Es por eso por lo que intento evitar la muerte en la medida de lo posible, huyendo de su posible llegada:

- *«Vente a hacer escalada de montaña, será divertido». Respuesta: «Mejor no, que sudas, te cansas mucho y te puedes morir».*
- *«Este coche se pone a 200 km/h en nada. ¿Quieres probarlo?». Respuesta: «En estos momentos no, que me viene mal morir triturado ahora que he terminado la dieta y me he quedado hecho un Apolo».*
- *«No pasa nada por tomar unas copitas y coger el coche». Respuesta: «Ya, pero prefiero solidarizarme con el gremio del taxi y conductores de vehículos para mejorar sus condiciones de trabajo. Quién sabe si algún día tengo que ser uno de ellos».*

Las situaciones en que la muerte genera humor están acompañadas de respeto y acogida de lo que acontece.

La creencia en la «inmortalidad»

No hemos recibido una educación sobre la **muerte.**

Por eso tenemos, desde niños, la sensación de **«inmortalidad»** y pensamos que eso es algo lejano, que ya llegará, y que lo hará en edad avanzada, que es cuando ya nos preocuparemos por ello.

Es por ello por lo que cuando ocurre algo que nos acerca a una muerte inesperada de alguien cercano, nos impacta tanto.

A veces no disfrutamos del **presente**, del momento de **ahora**, porque nos visualizamos como «seres inmortales», cuando ya tendremos tiempo para…

Vivimos en el «largo plazo»: hipotecas a treinta años; planes para más adelante, «cuando se pueda»; nunca es buen momento para tener hijos; si se tienen hijos, ya disfrutaremos cuando sean mayores o se vayan de casa; ya lo haré cuando me jubile… Y de repente, ¡¡zas!!, un acontecimiento «inesperado» manda al traste nuestros planes.

Creemos que somos inmortales.

Vivimos como si fuéramos a vivir siempre.

¿Merece la pena vivir un drama si la vida puede terminar en cualquier momento?

Nuestro cerebro no está preparado para la muerte. **NO CREE** que tenga que morir. Creo que eso ocurrirá en un futuro muy, muy lejano.

Nuestro cuerpo está preparado para vivir y sobrevivir. En cualquier circunstancia lucha por vivir. Si aguantamos la respiración, en un momento determinado nuestro organismo actuará para que abramos la boca y tomemos aire. Si ve un enemigo que se introduce en nuestro interior, el cuerpo está programado para luchar y expulsarlo, hasta el límite, sin rendición posible.

La idea de la muerte nos traslada a «otros» seres humanos, no a nosotros.

Por eso vivimos en la inmortalidad. Es algo que nos ayuda a no hundirnos y a no desesperarnos. Creer que la muerte no tiene nada que ver con nosotros, ni nuestra existencia.

Los peligros de vivir en la «inmortalidad» son varios:

> ➤ **Postergar cosas.** Alargar o aplazar decisiones vitales. Como somos inmortales, tengo tiempo, ya lo hare más adelante. No importa la demora, en algún momento lo haré. Puedo posponer esa decisión, puedo supeditar ese momento a otros momentos, aunque sean menos trascendentes. No me importa dilatar la decisión, sé que podré tomarla «cualquier día». Si demoro un poco más algo que me puede resultar en

un cambio importante, mejor, ya que esas variaciones de rumbo son incómodas para las personas.

➤ **Procrastinación.** Según la Wikipedia, «la **procrastinación** (del latín *procrastinare:* pro, adelante, y *crastinus,* referente al futuro), **postergación o posposición,** es la acción o hábito de retrasar actividades o situaciones que deben atenderse, sustituyéndolas por otras situaciones más irrelevantes o agradables».

➤ **Estar en el sitio o con personas que no queremos porque es lo que toca.** Como aguantar en un trabajo porque no quiero arriesgarme a no tener ingresos, aunque realmente no esté motivado o incluso esté sufriendo en ese sitio. Tener una relación tóxica con una persona y no dejarla por miedo a no poder conseguir otra relación que la sustituya. Nuestro cerebro nos repite: «Tengo que hacerlo porque es lo que hay». El reloj corre, y pasa el tiempo y nos vamos degradando cada vez más estando en lugares o con personas que no deseamos.

➤ **No declarar el amor a los seres queridos.** No decir «te quiero» en cuanto tengamos la oportunidad es algo de lo que podemos arrepentirnos. Me gustas, me gusta estar contigo, qué bien lo paso contigo o TE QUIERO suele reconfortar a la persona que lo dice y a la que lo escucha.

➤ **No arriesgarse.** Nuestro cerebro nos repite: «¡¡Cuidado!! Puedes no salir bien parado si haces esto». «La vida es larga y no quieras cometer errores de los que puedes arrepentirte». Y así los trenes van pasando, las oportunidades se desvanecen y la vida va pasando por nosotros, sin que hayamos podido correr riesgos por el miedo a ser lastimados.

➤ **Decir SÍ cuando queremos decir No.** ¿Cuántas veces hemos dicho que SÍ a algo cuando en realidad queríamos decir que NO? Las personas, según van avanzando en edad y se van haciendo mayores, valoran el poco tiempo que les queda y se centran en lo importante, y por eso saben decir que NO sin titubeos. ¿Por qué hemos de hacerlo solo cuando tenemos edad avanzada? La libertad de decir que NO puede generar malestar momentáneo, pero nos hace libres de ataduras y compromisos que no queremos cumplir.

➤ **Hacer de todo un drama.** Vivir todo como un drama nos desespera y nos deja sin esperanza para seguir viviendo. Agrandar los problemas es algo tan inútil e improductivo que hace que nuestra vida pueda ser frustrante.

- ➤ **Vivir con rencor.** El odio acumulado arrastra un malestar constante. El perdón es liberador. Como ya decía en un capítulo anterior, el significado de perdonar es dar, otorgar, dejar ir.

- ➤ **No disfrutar del momento.** Se trata de repetirnos mensajes como mantras de cuando seremos felices: cuando sea mayor, cuando tenga trabajo, cuando gane dinero, cuando... Pensar solo en el mañana es una trampa en la que están atrapadas muchas personas.

- ➤ **Tomarse en serio.** No reírse de uno mismo, y nuestras desgracias, es algo que nos sumerge en el desánimo y en el abatimiento. Pensar en cómo nos verán los demás en lugar de disfrutar es algo que nos hace sufrir. A veces creamos un personaje por el qué dirán y cómo queremos que nos vean. Es INTERPRETAR en lugar de SER. Ser uno mismo nos hace más libres, y sin importarnos qué dirán o pensarán los demás. Además, reírse de uno mismo ayuda a superar los errores y adversidades.

La enfermedad como oportunidad

Uno de los asuntos que disparan que nos instalemos en el presente suele ser la **enfermedad,** sobre todo si es grave. Es cuando se ordenan las **prioridades** y cuando la creencia de «inmortalidad» desaparece.

La enfermedad nos sobreviene, en muchas ocasiones, «sin avisar».

Algunas personas adoptan una forma de vida que les va dando una serie de advertencias o señales de que la enfermedad puede aparecer en cualquier momento, como son la forma de vida estresada y agotadora que llevamos en algunas ocasiones.

No hay que llevarse a engaño: **¡¡la enfermedad es una putada!!** Tanto la tuya como la de un ser querido. No es una experiencia agradable ni deseada. Aun así, nos sobreviene, y cuando lo hace, hay que hacerle frente.

La enfermedad nos recoloca. Es una **oportunidad única** para reorganizar nuestra vida y reconectar con lo **esencial**. Puede ordenar nuestros **valores** y nuestro **camino**.

Indudablemente, es duro afrontarla. Por eso he recomendado en alguna ocasión a personas que no tienen claras sus prioridades en la vida o están perdidos darse una vuelta alguna vez por hospitales con niños con enfermedades como cáncer, leucemia o cualquier otra de las importantes y que vean cómo afrontan su «día a día». Yo lo he hecho alguna vez y es un «baño de realidad» que me pone enfrente de la falsa creencia de «inmortalidad». La felicidad y los juegos en estos niños están presentes en los momentos más complicados de su vida, y eso les ayuda enormemente.

Los expertos nos hablan de algunas claves para afrontar la enfermedad:

- **Aceptación.** Cuanto antes se produzca, mejor, para poder enfrentarse a los momentos complicados.
- **Compromiso con nosotros mismos. Pacto interior.** Cómo me voy a tomar este **reto**, cómo pienso actuar, cuál va a ser mi lenguaje conmigo mismo y con los demás, y cómo quiero salir de esta situación.
- **Esfuerzo.** Como la gran mayoría de las cosas en la vida, los resultados vienen con esfuerzo. ¿Cuál va a ser el mío? ¿Cómo me voy a comportar en momentos de debilidad?
- **Actitud positiva con uno mismo y con propósito de contagio a los que nos rodean.** El contagio de entusiasmo a los demás debería ser la «obligada pandemia» que necesitamos en el mundo. ¿Quiero estar quejándome en estos momentos o quiero reírme y hacer reír a los que me rodean? La gran mayoría de las personas que bromean con su enfermedad están protegiéndose para afrontar los momentos difíciles.

Conclusiones finales

Antes de finalizar nuestra aventura, quiero compartir contigo algunas conclusiones «vitales» que han aportado sentido a mi vida.

Porque una vida sin sentido no tiene sentido, y no obtendremos sentido a lo que vivimos (esto lo he puesto para liarte).

Cada **reflexión final** de este capítulo está pensada para que puedas considerar, meditar, pensar y calibrar lo que es importante en tu vida para ti y para los que te rodean.

Me he permitido compartir cosas que «a mí me funcionan» para poder vivir con plenitud. Esto no significa que a ti te valgan o se adapten mejor a tu vida. Esto es tan personal como la ropa interior que utilizamos (por eso hay tanta variedad).

La bondad y la maldad conviven con nosotros mismos

La gente no puede ser catalogada o etiquetada de **buena o mala** en valores absolutos.

Claro que hay personas «malvadas» que cometen aberraciones, pero me interesa más saber por qué han llegado a esa situación, porque nadie nace malo del vientre de su madre.

Todos tenemos un fondo de «bondad», y a veces podemos hacer «actos malvados», guiados por el egoísmo. Si buscamos el **altruismo**, es decir, pensar en términos de los demás en lugar de los nuestros, ahogaremos esos «actos malvados» y la maldad que habita en nuestro interior para no dejarla salir.

Cuando afirmo en mis conferencias que «casi todo el mundo es bueno», me baso en la absoluta creencia de que todos podemos cometer «maldades» desde una naturaleza bondadosa, que es la que suele predominar. Por eso debemos aceptar los errores de los demás para poder comprender los nuestros.

¿En verdad eres libre?

Llegados a este punto me gustaría hacer una reflexión sobre la **libertad**. Ese bien que tanto nos cuesta apreciar y que, como dice una buena amiga, «no se consigue, se conquista».

¿En verdad somos libres? Piénsalo detenidamente: ¿en qué consiste tu libertad?

Me asombra cómo a veces nos convertimos en esclavos del qué dirán y de nuestra imagen externa. Observo que muchas personas se esfuerzan en dar una «imagen» de cara a los demás. Ese esfuerzo provoca en muchas ocasiones agotamiento. Quiero que me vean como alguien serio, responsable, confiable, inteligente, moderno, interesante…, una serie de etiquetas y clasificaciones que condicionan nuestra forma de comportarnos. Esto nos puede provocar tal estrés que puede llevarnos a una de las peores situaciones que puede llegar a alcanzar el ser humano: dejar de ser uno mismo. Es decir, NO ser AUTÉNTICOS.

La autenticidad se basa en la acogida de uno mismo, de tus virtudes y de tus defectos, del reconocimiento que somos seres humanos, o más bien «seres erróneos», ya que nuestra tendencia natural se dirige a equivocarnos y cometer errores, que forman parte de nuestro aprendizaje.

Cuando fingimos ser quienes no somos, estamos transformándonos en quien no queremos. Cuando renegamos de nuestra esencia, de nuestra incoherencia humana, es cuando entramos en una discusión interna, un conflicto con nosotros mismos que no se resuelve si no lo afrontamos directamente.

Se trata de ser **fieles a nosotros mismos** y de aceptarnos con nuestras limitaciones, carencias y, por supuesto, nuestras virtudes.

Es curioso ver cómo a veces pensamos que poseemos cosas, y en ocasiones son las cosas las que nos poseen a nosotros, ya que para conseguirlas o mantenerlas dejamos parte de nuestra libertad y de nuestra vida, consumiéndonos en lo que consideramos «disfrutar» de las cosas, cuando en realidad son las «cosas» las que tienen el control sobre nuestra vida.

Te lo vuelvo a preguntar: ¿te consideras libre?

La verdadera LIBERTAD

La película *Brave* (valiente), de Disney, termina con la siguiente frase: «**Nuestro destino está dentro de nosotros, solo tenemos que ser valientes para verlo**».

Como comentamos al principio, este libro no es de autoayuda, sino de **autoconvencimiento**.

Si tú puedes convencerte de algo y meter esa idea en la cabeza, es muy difícil que puedan arrancártela, ya que ha salido de tu propio SER.

Admiramos a los deportistas y a las personas con discapacidad por lograr ser mejores y parecer que se puede conseguir todo lo que nos proponemos. Esos ejemplos de superación nos motivan para mejorar y avanzar y no estancarnos.

Cuando te invito a DESADRAMATIZAR, lo hago para que sueltes lastre. Te quites peso. Dejes atrás eso que te impide avanzar. Al igual que cuando nos ponemos a dieta perdemos kilos y eso nos hace sentir más ligeros para poder avanzar más rápido y sobre todo no fatigarnos —y te lo dice una persona que vive eternamente a dieta—, así te propongo que te quites esos «sufrimientos» de más que afean tu «cintura emocional».

Lanza por la ventana aquello que te está haciendo sufrir y que te aferra a la desesperanza y te impide moverte hacia la ILUSIÓN.

Cambia la forma de ver las cosas y tu visión alcanzará otra dimensión.

En definitiva, salta hacia adelante para no quedarte inmóvil ante aquello que nos lastra, nuestros fracasos y nuestra desesperación, porque te repito: **no**

somos seres humanos, somos seres erróneos, y cuanto antes lo aceptes y te aceptes, antes avanzarás.

Es entonces cuando conocerás la verdadera LIBERTAD.

Como «regalo final» te entrego mis firmes creencias y valores.

Estos son los valores que guían mi camino:

Las **3 P** que dirigen mi vida:

✓ **Pasión**
✓ **Paciencia**
✓ **Perseverancia**

Las **3 H** que intento practicar habitualmente

✓ **Humor**
✓ **Humanidad**
✓ **Humildad**

No tienen por qué ser necesariamente tus valores. A mí me han ayudado a formar mi vida y poder afrontar la adversidad.

Cosas que (me) funcionan para tener una vida plena

Tener una vida plena es un **propósito** que el ser humano se pone como meta.

La **plenitud** está en el equilibrio que tenemos en nuestra vida, soportando aquello que suele venir en forma de problema o dificultad, y tratando de que nuestra vida tenga momentos de bienestar para poder alcanzar esa plenitud.

Lo que viene a continuación no es una guía, o unas claves «inexcusables de practicar», sino cosas que me han funcionado y que me han llevado tiempo instalar en mi vida.

¿Eso significa que si las sigues, conseguirás la plenitud? La respuesta es múltiple: SÍ, NO o DEPENDE. Cada persona aceptamos lo que nos pasa y tratamos de adaptar nuestra vida lo mejor posible.

Estas formas de afrontar la vida te valdrán, si tú crees que se adapta a una **personalidad** y a tu forma de **ser y sentir**.

Lo que sí te puedo garantizar es que a mí me han funcionado hasta el día de hoy.

Son las siguientes:

✓ **Escucho a mi cuerpo**. Si quiero comer, como cuando mi cuerpo tiene hambre, no espero a que sea una hora concreta. Me alimento o bebo cuando mi físico lo solicita. Si quiero descansar, lo hago. Si quiero escuchar música, pues me la pongo. Practico el **epicureísmo emocional y físico** cuando puedo permitírmelo. No sigo horarios estrictos. Sobre todo, los fines de semana, intento relajarme con horarios que entre semana cuesta más seguir por las obligaciones diarias

✓ **No me obsesiono con darle vuelta a los problemas**. Evito sufrimientos al tener que estar pensando mucho tiempo y de forma constante en el mismo problema o problemas. Suelo analizar qué es lo mejor o peor que puede pasar y dejo mi cabeza tranquila durante un tiempo. Lo recupero cuando toca y procuro no estar constantemente con ello en mi cabeza. Intento tomar una decisión lo antes posible, para así ser consecuente con ella y no dejar que mi serenidad y equilibrio mental se vean afectados por el problema. Resolver inmediatamente la cuestión con una decisión me aligera la carga de estar «dándole vueltas».

✓ **Pienso que las cosas van a salir bien**. Soy un **optimista ingenuo,** ya que creo que siempre pueden salir las cosas bien. Eso me ha servido para afrontar las cosas que me acontecen sin la ansiedad de lo que puede salir mal. No estoy pensando en que las cosas que hago o a las que me enfrento pueden salir mal o en que voy a fracasar.

✓ **Suelo confiar en las personas**. No me obsesiono con que me van a engañar o se van a aprovechar. Tengo la firme convicción de que la gran mayoría de la gente es buena y tiene buenas intenciones. Esto me ha dado paz y no estar en constante tensión por si alguien quiere engañarme. Cuando alguien lo hace o me decepciona, asumo esa situación como posible y aprendo y actúo en consecuencia, pero no aumento mi desconfianza hacia el ser humano.

✓ **No le doy vuelta a los errores pasados.** Y me sirve para sufrir muchísimo menos. En su momento, tras el error, aprendí, o no lo hice, y ahora sigo hacia adelante sin mirar atrás o regodearme en el error pasado.

✓ **Sueño en grande.** Busco crecer y hacer cosas con las que disfruto. Soy AMBICIOSO en el sentido positivo de la palabra, ya que no quiero perjudicar a nadie, y sí quiero evolucionar, aprender y crecer personal y profesionalmente. Me afano en convencerme de que el futuro siempre puede ser mejor. Eso me ayuda a continuar y esforzarme para avanzar.

✓ **Pongo en duda mis valores y creencias cada cierto tiempo.** Lo hago para que no me limiten. Estoy abierto a cambiar mis convicciones siempre que haya motivos para hacerlo. No me cierro al **cambio**, porque creo que eso me limitará en mi crecimiento personal. Estoy dispuesto a cambiar de opinión. Si hay una buena argumentación, puedo cambiar mi punto de vista y mi forma de pensar. No rechazo poder variar mi postura sobre cualquier asunto.

✓ **Soy insistente y constante.** Incluso testarudo. No me importa machacar una y otra vez para conseguir algo o no desviarme de mis objetivos y metas en la vida. Para abandonar, tiene que ser algo que me haya agotado o que vea claramente que no tiene salida, y siempre me dedico un «último intento» con todas mis fuerzas y todo mi corazón antes de abandonar.

✓ **No les dedico mi tiempo a las personas tóxicas.** Suelo alejarme o realizar la «escucha selectiva» si no tengo más remedio que estar cerca. No relacionarme con personas negativas o maleducadas y agresivas me ha hecho estar más tranquilo en la vida y poder disfrutar más de la vida sin tener «vampiros emocionales» que te chupan la energía.

✓ **Creo que algo bueno puede suceder.** No espero algo malo. Estoy convencido de que vienen cosas buenas y que no tardarán mucho tiempo en ocurrir. Fantaseo con cosas chulas que me pasarán en la vida…, y algunas se han cumplido, como ser conferenciante cuando me aterraba hablar en público, bailar un tango decentemente delante de más de doscientas personas cuando soy un pato bailando y me tropiezo…

✓ **Si tengo que hacer algo que no me gusta, no lo dilato.** Prefiero quitármelo de encima lo antes posible. La **procrastinación** de lo inevitable genera inquietud, incertidumbre y sufrimiento. Lo hago y ya está, así no me da tiempo a pensar cuándo tendré que hacerlo.

✓ **Cuento mis bienes y no mis desgracias.** Soy un afortunado por las muchas cosas que tengo y he podido disfrutar. A veces me comparo en positivo con otras personas que no son tan afortunadas, y eso me ayuda a sentirme mejor, y también a poder ayudar a los demás porque creo que hay que ser generosos con los que no tienen tanta suerte en la vida.

✓ **Me pongo a disposición de los demás siempre que me lo solicitan.** Me considero un buen conversador y escuchador; no es solamente que yo lo piense, es lo que me dicen los que me rodean. Me gusta tener conversaciones potentes que me hacen pensar y reflexionar o descubrir cosas a mí y a los interlocutores que me rodean. Si alguien necesita ser escuchado, ofrezco mi oído, mi cerebro y mi hombro, no solo por hacer sentir mejor a esa persona y quitarle un peso de encima cuando cuenta sus problemas, sino que, además, de manera egoísta, a mí también me hace sentir bien.

✓ **Me encanta hacer reír a los demás.** Soy un payaso, un bufón, y disfruto con la risa a mi alrededor. Intento iluminar a los demás y contagiarles entusiasmo, aunque a veces me paso y les pongo como una moto, y me cuesta meterme en líos, de los que casi siempre salgo. Esto me hace sentir muy, muy, muy bien. La plenitud está muy cerca de mi vida cuando comparto risas y sonrisas.

✓ **Conozco mis límites.** He podido reconocer mis defectos y virtudes con un gran ejercicio de **autoconocimiento.** Por ejemplo, me encanta comer y beber (no siempre bebidas sanas) y lo disfruto, aunque sé que en ocasiones perjudican mi salud. No soy bueno en deportes y el ejercicio físico no me gusta, lo que me limita en mis hábitos saludables.

✓ **Sonrío siempre que puedo.** Lo hago por un fin egoísta: quiero que las personas me devuelvan la sonrisa. Dicen los expertos científicos que la sonrisa activa las neuronas espejo, que son aquellas que repiten algo que ven hacer en la otra persona. Pruébalo. Si sonríes, la gran mayoría de las personas te devuelven la sonrisa.

✓ **Me quiero profundamente.** Me amo tanto porque creo que es el camino más fácil para amar a los demás. No es un amor egoísta, es un amor de aceptación personal para valorarme y no hacerme de menos. Mi «**diálogo interior**» es de puro amor, y consiste en frases como «tú lo vales», «tú puedes», «tú puedes conseguir lo que te propongas», «tu eres una gran persona». Amarse a uno mismo es el camino para amar a los demás.

✓ **Reconozco mis errores, y lo hago rápidamente.** No me creo perfecto, creo que soy un **ser erróneo**. Por eso, cuando me equivoco, y me doy cuenta, no me cuesta nada reconocerlo. No me desgasto defendiendo mi actuación o un error evidente. No soy orgulloso, y esto me ha facilitado que las personas sean más comprensivas ante mis errores.

✓ **No suelo perder el control.** Es muy difícil sacarme de mis casillas. No respondo a la agresión verbal o al insulto (antes sí lo hacía, y me fue mal). Si puedo, evito el conflicto y la discusión acalorada (me suelo marchar o callarme y no responder). Me ha ido fenomenal desde que obvio a los agresores tóxicos, porque pienso que tienen problemas que solucionar en su interior y suelo compadecerme de esas personas, y no entro a su «juego».

✓ **Escucho sin pensar en la respuesta.** Solo escucho con **atención plena**. No estoy pendiente de lo que voy a decir a continuación. Si tengo que responder, lo hago cuando me he cerciorado de que la persona ha acabado de hablar o de argumentar. Además, no hago caso a otros estímulos exteriores, o a mi diálogo interior. Estoy plenamente con la persona, y si no es así, se lo digo y le explico el motivo, ya que si no estoy con esa atención, se me nota muchísimo y prefiero ser honesto con mi interlocutor.

✓ **No le doy importancia a la opinión popular o la de otras personas.** Eso no significa que me importe una mierda la opinión de todo el mundo. Tomo mis decisiones escuchando a los demás, pero sin que me influya en lo que creo que es mejor. A veces voy a contracorriente, y eso me ha hecho seguir mi camino y no el de otras personas. He seguido mis objetivos sin tener en cuenta si coincidían con lo que opinaban los demás.

✓ **En todas mis decisiones intento que otras personas no se perjudiquen.** No he venido a este mundo a hacer mal a nadie ni a fastidiar a los demás. Cuando decido algo, procuro que nadie, o el menor número de personas posible si es inevitable, se vea perjudicado con mis decisiones.

Con sentido optimista...

Te dejo este «poema» de mi propia autoría y que suelo leerme cuando vienen malos momentos:

Con sentido optimista... las cosas parecen posibles de hacer
... los logros se intuyen más cercanos
... se confía en todas las personas que se acercan a nosotros
... cualquier problema parece tener solución
... cualquier adversidad parece temporal y pasajera
... cualquier dificultad es vista como una oportunidad para crecer y aprender
... la realidad se percibe como es, pero el futuro se atisba mejor
... se adivina la esperanza en cada acto que acometemos
... se mira al otro como alguien cercano
... no se divisan enemigos, sino personas con opinión y actitudes diferentes
... la posesión es algo temporal
... las malas noticias son mensajes inevitables que pronto pasarán
... los defectos de los demás son percibidos como áreas de mejora
... nuestras debilidades son sentidas como forma de superación
... el otro es diferente a mí, pero somos iguales
... el amor se antepone a otras emociones
... se tiene sentido de la justicia, no como venganza, sino como restablecimiento del equilibrio
... la palabra solidaridad alcanza un significado pleno
... buscamos la fuerza y el coraje en donde parece que se ha agotado
... la oscuridad precede a la luz
... el sufrimiento adquiere un significado para un logro posterior
... el odio es un sentimiento encontrado que podemos tener, pero no debemos dejarnos dominar
... gestionamos la felicidad en común, no de manera individual
... la muerte es el paso previo a otro camino diferente.

Y ahora ACTÚA y ponlo en práctica

Hemos llegado al final de esta aventura, donde he «vomitado» todo lo que podía y, haciéndolo, he podido compartir contigo los **beneficios de desdramatizar.**

A partir de este momento, si algo te ha valido, te ha servido, o te ha dejado un poso para tu vida, mi satisfacción será grande, porque este era el gran objetivo de este libro.

Por favor, ACTÚA. Te lo pido de rodillas (visualízame arrodillado). Se trata de decidir, poner en práctica y poder hacer eso que tanto deseas: **cambiar tu vida a mejor.**

Si quieres formar parte de una **comunidad** en la que hemos decidido desdramatizar lo que nos pasa para mejorar nuestra calidad de vida, puedes interactuar con nosotros en redes sociales.

Queremos formar un grupo social influyente para conseguirlo. Nos llamaremos los **Desdramers** (lo sé, no es muy original; así que te desafío a que pongas otro nombre si quieres).

Lo formamos un grupo de seres humanos que queremos y logramos pasar de ser **seres sufrientes** a **seres plenos.**

Ser un ser (qué bonita cacofonía) sin drama es nuestro **propósito.**

Nos gusta la «dieta baja en dramas», y por eso no nos intoxicamos con «alimentos dramáticos» que nos producen indigestión.

Para eso utilizaremos el hashtag **#yodesdramatizo,** donde iremos compartiendo historias, anécdotas, vivencias, pensamientos, reflexiones y cómo nos ha ido desdramatizando en diferentes situaciones.

Espero puedas unirte a esta «ola».